D0494811

Een vorm van leven

Amélie Nothomb

Meulenhoff|Manteau

een vorm van leven

roman

Die ochtend kreeg ik een nieuw soort brief:

Beste Amélie Nothomb,

Ik ben soldaat der tweede klasse in het Amerikaanse leger, mijn naam is Melvin Mapple, u mag me Mel noemen. Sinds het begin van deze rotoorlog, meer dan zes jaar geleden, ben ik in Irak gelegerd. Ik schrijf u omdat ik door de hel ga. Ik heb behoefte aan een beetje begrip en u, u zult me begrijpen, dat weet ik.

Antwoord me. Ik hoop dat ik gauw een brief van u krijg.

Melvin Mapple

Bagdad, 18/12/2008

Eerst dacht ik dat het een grap was. Gesteld dat die Melvin Mapple bestond, had hij dan het recht om me zulke dingen te schrijven? Bestond er geen militaire censuur die het woord *fucking* vóór *war* nooit zou hebben laten passeren?

Ik bestudeerde de brief. Als hij nep was, dan hadden ze hem uitstekend vervalst. Hij was door een Amerikaanse frankeermachine gegaan en er stond een Iraakse poststempel op. Het geloofwaardigst was de kalligrafie: een eenvoudig en stereotiep Amerikaans basishandschrift dat ik zo vaak had gezien tijdens mijn verblijven in de Verenigde Staten. En de directe toon, die klonk onmiskenbaar authentiek.

Toen ik niet langer twijfelde aan de echtheid van het schrijven, werd ik getroffen door het meest onwaarschijnlijke kenmerk van de boodschap: het was hoegenaamd niet verbazingwekkend dat een Amerikaanse soldaat die deze oorlog sinds het begin van binnen uit had meegemaakt 'door de hel' ging, maar wel verbijsterend dat hij mij schreef.

Hoe had hij van mij gehoord? Sommige van mijn romans waren vijf jaar eerder in het Engels vertaald en in de Verenigde Staten door een veeleer beperkte lezerskring onthaald. Ik had al brieven gekregen van Belgische en Franse militairen, wat me niet verbaasde; meestal vroegen ze me om gesigneerde foto's. Maar een soldaat der tweede klasse van het Amerikaanse leger die in Irak was gelegerd, daar kon ik niet bij.

Wist hij wie ik was? Behalve het adres van mijn uitgever, dat correct op de envelop stond geschreven, was er niets dat daarop wees. 'Ik heb behoefte aan een beetje begrip en u, u zult me begrijpen, dat weet ik.' Hoe kon hij weten dat uitgerekend ik hem zou begrijpen? Gesteld dat hij mijn boeken had gelezen, gaven die dan werkelijk het duidelijkst uiting aan begrip en menselijk medeleven? Als ik dan toch soldatenmoeder moest spelen, was ik stomverbaasd over de keuze van Melvin Mapple.

Had ik trouwens wel zin in zijn ontboezemingen? Er waren al zoveel mensen die me lang en breed over hun kommer en kwel schreven. Mijn vermogen om het leed van anderen te dragen stond op springen. Bovendien zou het leed van een Amerikaanse soldaat behoorlijk veel plaats in beslag nemen. Zou ik zo'n groot volume aankunnen? Nee.

Melvin Mapple had vast en zeker een psych nodig. Dat was mijn vak niet. Als ik me ter beschikking stelde voor zijn ontboezemingen, zou ik hem een slechte dienst bewijzen, want dan zou hij gaan geloven dat hij de therapie, die vast nodig was na zes jaar oorlog, niet hoefde te volgen.

Helemaal niet antwoorden leek me een tikkeltje schofterig. Ik vond een tussenoplossing: ik signeerde de Engelse vertalingen van mijn boeken voor de soldaat, pakte ze in en stuurde ze naar hem op. Zo had ik het gevoel dat ik iets had gedaan voor die onderknuppel van het Amerikaanse leger en suste ik mijn geweten.

Later bedacht ik me dat de afwezigheid van militaire censuur ongetwijfeld te wijten was aan de recente verkiezing van Barack Obama tot president; hij zou natuurlijk pas meer dan een maand later in functie treden, maar de ingrijpende verandering moest al merkbaar zijn. Obama had zich voortdurend tegen de oorlog gekant en verklaard dat als de Democraten de verkiezingen wonnen, hij de troepen naar huis zou halen. Ik verbeeldde me dat Melvin Mapple snel zou terugkeren naar zijn geboorteland Amerika: in mijn fantasie zag ik hem thuiskomen in een gezellige boerderij, te midden van de maïsvelden, waar zijn ouders hem met open armen ontvingen. Die gedachte bracht me uiteindelijk tot rust. Aangezien hij vast niet zou verzuimen om mijn gesigneerde boeken mee te nemen, zou ik aan indirecte leesbevordering in de *Corn Belt* hebben gedaan.

Er waren nog geen twee weken voorbijgegaan toen ik een antwoord ontving van de soldaat der tweede klasse:

Beste Amélie Nothomb,

Bedankt voor uw romans. Wat wilt u dat ik ermee doe?
Happy New Year,
Melvin Mapple
Bagdad, 1/01/2009

Ik vond het nogal kras. Licht geërgerd schreef ik meteen de volgende brief:

Beste Melvin Mapple,

Ik weet het niet. U kunt er misschien een meubel mee stutten of een stoel hoger maken. Of u kunt ze aan een vriend geven die heeft leren lezen.

Bedankt voor uw wensen. Ik doe ze u terug.
Amélie Nothomb
Parijs, 6/01/2009

Foeterend op mijn dwaasheid postte ik de brief. Hoe had ik een andere reactie kunnen verwachten van een militair?

Hij antwoordde me per kerende post:

Beste Amélie Nothomb,

Sorry, ik heb me blijkbaar niet goed uitgedrukt. Ik wilde zeggen dat ik u had geschreven omdat ik al uw boeken al had gelezen. Ik wilde u daar niet mee lastigvallen en daarom heb ik het er ook niet over gehad; het sprak voor zich. Maar ik ben tevreden dat ik ze nu dubbel heb, en gesigneerd. Nu kan ik ze uitlenen aan mijn vrienden. Het spijt me dat ik u van streek heb gebracht.

Sincerely,
Melvin Mapple,
Bagdad, 14/01/2009

Ik sperde mijn ogen wijd open. Die kerel had al mijn boeken gelezen en legde een oorzakelijk verband tussen dat gegeven en zijn beslissing om me te schrijven. Het zette me zeer diep aan het denken. Ik probeerde te begrijpen hoe mijn romans die soldaat ertoe hadden kunnen brengen contact met me te zoeken.

Toch was ik ook een belachelijk opgetogen personage: een auteur die ontdekt dat iemand alles van haar heeft gelezen. Dat die iemand een soldaat der tweede klasse van het Amerikaanse leger was, maakte me nog gelukkiger. Het gaf me de indruk dat ik een universele schrijfster ben. Ik voelde een potsierlijke opwelling van trots. In opperbeste stemming schreef ik dit epistel:

Beste Melvin Mapple,

Sorry voor het misverstand. Het doet me werkelijk iets dat u al mijn boeken hebt gelezen. Ik profiteer ervan om u mijn laatste in het Engels vertaalde roman te bezorgen, *Tokyo Fiancée*, die net is verschenen in de Verenigde Staten. Ik ben diepbedroefd over de titel, het lijkt wel een film met Sandra Bullock, maar de uitgever verzekerde me dat er voor *Ni d'Ève, ni d'Adam* zonder twijfel geen betere vertaling te vinden is. Van 1 tot 14 februari ben ik in uw mooie land voor de promotie van het boek.

Vandaag wordt Barack Obama president van de Verenigde Staten. Het is een grote dag. Ik stel me voor dat u binnenkort naar huis gaat, en dat doet me plezier.

Met vriendelijke groet,

Amélie Nothomb

Parijs, 21/01/2009

Tijdens mijn Amerikaanse tournee herhaalde ik tegen iedereen die het wilde horen dat ik correspondeerde met een in Bagdad gelegerde soldaat die al mijn boeken had gelezen. Het maakte een positieve indruk op de journalisten. De *Philadelphia Daily Report* kopte: *'US Army soldier reads Belgian writer Amélie Nothomb'*. Ik wist niet precies met welk aura ik door die informatie werd bekroond, maar het leek uitstekend te werken.

Toen ik weer in Parijs was, lag er een berg post te wachten, waaronder twee brieven uit Irak:

Beste Amélie Nothomb,

Bedankt voor *Tokyo Fiancée*. Wees niet bedroefd, het is een goede titel. Ik ben dol op Sandra Bullock. Ik verheug me erop het te lezen. Weet u, ik heb tijd zat: we gaan toch niet meteen naar huis. De nieuwe president zei dat het negentien maanden zou duren om de troepen terug te trekken. En aangezien ik hier als eerste aankwam, zult u zien dat ik als laatste zal vertrekken. Het is altijd hetzelfde liedje. Maar u hebt gelijk, Barack Obama is de man die we nodig hebben. Ik heb voor hem gestemd.

Sincerely,
Melvin Mapple
Bagdad, 26/01/2009

Beste Amélie Nothomb,

Ik vond *Tokyo Fiancée* prachtig. Hopelijk neemt Sandra Bullock de rol, dat zou geweldig zijn. Wat een mooi verhaal! Bij het einde heb ik gehuild. Ik zal u niet vragen of het verhaal echt is gebeurd, want het is zeer authentiek.

Hoe was het in Amerika?
Sincerely,
Melvin Mapple
Bagdad, 7/02/2009

Ik antwoordde meteen:

Beste Melvin Mapple,

Wat ben ik blij dat u mijn boek mooi vond. Ik heb een heel leuke tijd gehad in uw prachtige land. Ik heb het overal over u gehad: lees maar dit artikel uit de *Philadelphia Daily Report*. Helaas kon ik de journalisten niet precies uitleggen waar u vandaan komt. Ik weet zo weinig over u. Als u het goed vindt, zou ik meer over u willen vernemen.

Met vriendelijke groet,
Amélie Nothomb
Parijs, 16/02/2009

Ik gaf er de voorkeur aan om niets te zeggen over de hypothetische film met Sandra Bullock. Mijn opmerking was als grap bedoeld, ik verwachtte niet dat het serieus zou worden genomen. Melvin Mapple had wel eens teleurgesteld kunnen zijn als hij erachter kwam dat die film er waarschijnlijk niet zou komen. Je mag de *Corn Belt* niet wanhopig maken.

Beste Amélie Nothomb,

Ik was erg blij met het artikel uit de *Philadelphia Daily Report*. Sinds ik het aan mijn vrienden heb laten zien, willen ze u allemaal schrijven. Ik heb hun gezegd dat uw Amerikaanse tournee afgelopen is en dat het dus de moeite niet meer loont. Ze willen alleen dat er over hen in de pers wordt geschreven.

U wilt dat ik me voorstel. Ik ben negenendertig jaar en een van de oudsten met mijn rang. Ik ben pas laat bij het leger gegaan, op mijn dertigste, omdat ik geen toekomstperspectief meer had. Ik stierf van de honger.

Mijn ouders ontmoetten elkaar in 1967, tijdens de fameuze *Summer of Love*. Zij vonden het een schande dat ik in dienst ging. Ik zei hun dat er in Amerika niets anders op zit als je sterft van de honger. 'Je had toch bij je ouwelui kunnen komen wonen', antwoordden ze. Ik zou het schandalig hebben gevonden om te gaan hokken bij mijn ouders, die een armoedig bestaan leiden in een voorstad van Baltimore, waar ze een benzinestation uitbaten. Ik ben er opgegroeid en had helemaal geen zin om terug te gaan. Baltimore deugt alleen voor rock. Helaas heb ik daar geen talent voor.

Voordat ik dertig was, had ik idealen en dromen, en ik heb geprobeerd om ze te bereiken. Ik wilde de nieuwe Kerouac worden, maar hoeveel ik ook reisde onder invloed van benzedrine, nooit heb ik een bruikbare regel geschreven. Ik heb me vol drank gegoten om de nieuwe Bukowski te worden en bereikte het absolute dieptepunt. Nu ja, ik begreep dat ik geen schrijver was. Ik heb proberen te schilderen: een ramp. Dripping is niet zo gemakkelijk als men denkt. Ik probeerde het als acteur, maar dat werd ook niets. Ik ben dakloos geweest. Ik ben blij dat ik het heb meegemaakt, op straat slapen. Daar heb ik veel van geleerd.

In 1999 ben ik bij het leger gegaan. Ik vertelde mijn ouders dat er geen enkel risico was, want dat de laatste oorlog nog niet lang genoeg geleden was. Mijn theorie bestond erin dat mijn land voor lange tijd tot rust was gekomen door de *Gulf War* van 1991. Het leger in vredestijd, dat leek me relaxed. Nu ja, er gebeurde wel wat in Oost-Europa en Afrika en Saddam Hoessein zat nog altijd in Irak, maar ik zag geen enorm probleem opdoemen aan de horizon. Het is duidelijk dat ik geen verstand heb van politiek.

Het soldatenleven had niet alleen mooie kanten, dat werd me meteen duidelijk. De dril, de discipline, het geschreeuw, de dienstroosters, ik heb het nooit leuk gevonden. Maar goed, ik was geen landloper meer. Dat was belangrijk. Ik had begrepen waar mijn grenzen lagen. Angstig in de kou moeten slapen was zo'n grens. Honger was er ook een.

In het leger krijg je eten. Het voedsel is lekker, overvloedig en gratis. Toen ik in dienst ging, werd ik de eerste dag gewogen: vijfenvijftig kilo voor een meter tachtig. Ik geloof dat ze best wel de echte reden van mijn indiensttreding kenden. Ik weet dat ik verre van de enige ben die soldaat is geworden om die reden.

Sincerely,
Melvin Mapple
Bagdad, 21/02/2009

De *Corn Belt* had me op een dwaalspoor gebracht: de voorsteden van Baltimore waren veel erger. Het is niet zomaar dat alle films van de regisseur John Waters, de paus van de *bad taste*, zich in Baltimore afspelen. De stad heeft iets weg van een lelijke voorstad. Ik durfde me dus amper voorstellen hoe de voorsteden van Baltimore eruitzagen.

Op 11 september 2001 moest die arme Melvin Mapple zijn vergissing wel beseffen. Nee, het was geen tijd voor vrede. Zijn honger zou hem duur komen te staan.

Beste Melvin Mapple,

Bedankt voor uw zeer interessante brief. Ik stelde hem erg op prijs en heb het gevoel dat ik u beter heb leren kennen. Aarzel niet om me het vervolg te vertellen of andere episoden van uw leven uit de doeken te doen, zoals u zelf wilt.

Met vriendelijke groet,
Amélie Nothomb
Parijs, 26/02/2009

Beste Amélie Nothomb,

In het leger verdien je een beetje geld. Met mijn soldij heb ik boeken gekocht. Toevallig las ik het eerste boek van u dat in het Amerikaans Engels was vertaald, *The Stranger Next Door*. Ik was verkocht. Ik heb al uw romans aangeschaft. Het valt moeilijk uit te leggen, maar uw boeken spreken me aan.

Als u me beter kende, zou u het begrijpen.

Mijn gezondheid gaat achteruit, ik ben erg vermoeid.

Met oprechte groet,

Melvin Mapple

Bagdad, 2/03/2009

De brief maakte me erg ongerust. Ik kon me indenken dat er oorzaken zat waren om ziek te worden in Irak: het gebruik van giftige stoffen door het leger, stress, of zelfs een oorlogswond. Ik had hem bovendien al gevraagd om me meer over zichzelf te vertellen, ik kon toch niet gaan smeken. Kwam het door zijn gezondheidstoestand dat hij het niet had gedaan? Ik had de indruk dat zijn terughoudendheid van een andere orde was. Ik wist niet welke houding ik moest aannemen en antwoordde niet. Daar deed ik goed aan. Ik kreeg een nieuwe brief.

Beste Amélie Nothomb,

Het gaat wat beter met me en ik vind nu de kracht om u te schrijven. Laat me het uitleggen:

ik lijd aan een aandoening die steeds vaker voorkomt onder Amerikaanse soldaten die naar Irak zijn gestuurd. Sinds het begin van de interventie in maart 2003 is het aantal zieken verdubbeld, en hun aandeel blijft maar stijgen. Onder de regering-Bush werd ons ziektebeeld verborgen gehouden omdat men het slecht vond voor het imago van het Amerikaanse leger. Sinds Obama beginnen de kranten over ons te schrijven, maar heel behoedzaam. U denkt vast aan een geslachtsziekte, maar u vergist zich.

Ik ben zwaarlijvig. Dat ligt niet in mijn aard. Als kind, als tiener was ik normaal. Als volwassene duurde het niet lang of ik werd mager van armoede. In 1999 trad ik in dienst en begon ik zeer snel aan te komen, maar niet buitensporig: ik was niet meer dan een uitgehongerd geraamte dat eindelijk de mogelijkheid kreeg om te eten. In een jaar tijd bereikte ik het normale gewicht voor een gespierde soldaat: tachtig kilo. Ik heb het zonder moeite op peil gehouden, tot het oorlog werd. In maart 2003 zat ik bij het eerste contingent dat naar Irak werd gestuurd. Daar zijn meteen de problemen begonnen. Ik maakte mijn eerste echte gevechten mee, met raketvuur, tanks, lichamen die naast je ontploffen of die je zelf doodt. Ik leerde wat doodsangst is. Er zijn dappere mensen die dat aankunnen, maar ik niet. Er zijn mensen die hun eetlust erdoor verliezen, maar de meesten, onder wie ik, reageren omgekeerd. We komen terug van de veldslag, in shock, versteld dat we nog leven, ontsteld, en meteen nadat we een andere pantalon hebben aangetrokken (je doet het voortdurend in je broek), storten we ons op het eten. We beginnen meer bepaald met een biertje; ook iets voor dikzakken, bier. We zuipen een blikje of twee en daarna komt het stevige voer. Hamburgers, friet, *peanut butter and jelly sandwiches*, *apple pie*, *brownies*, ijsjes, we kunnen ons hart ophalen. En dat doen we. Het is ongelooflijk wat we kunnen verzwelgen. We zijn gek. Er is iets gebroken in ons. We kunnen niet zeggen dat we die manier van eten aangenaam vinden, het is sterker dan onszelf, we zouden ons dood kunnen eten, misschien is dat wel wat we proberen. In het begin geven sommigen over. Ik heb het geprobeerd, het lukte me nooit. Ik had het wel gewild. Het doet zoveel pijn, je buik staat op ontploffen. Je zweert dat je het nooit meer zult doen, het is te pijnlijk. De volgende dag moet je weer naar het slagveld, je maakt gruwelen mee die nog erger zijn dan die van de dag ervoor, je went er niet aan, je krijgt monsterlijke buikkrampen terwijl je voortdurend schiet en loopt, je wilt dat de nachtmerrie ophoudt. Wie terugkeert, is helemaal leeg. Daarom gaan we weer aan het bier en het vreten en onze pensen worden stilaan zo enorm dat het geen pijn meer doet. Wie vroeger braakte, braakt niet meer. We worden vet als varkens. Wekelijks moeten we kleren van een grotere maat vragen. Het brengt ons in verlegenheid, maar niemand kan het tij doen keren. Het is trouwens niet ons lichaam. Het gebeurt met andermans lichaam. Al dat eten kieperen we in de buik van een onbekende. Het bewijs is dat we er steeds minder van voelen. Zo kunnen we meer slikken. Daarbij voelen we geen plezier, maar een afschuwelijk soort troost.

Ik weet wat plezier is; dat is het niet. Plezier is iets hoogstaands. Bijvoorbeeld vrijen. Ik zal het niet meer meemaken. In de eerste plaats omdat niemand me nog zal willen. En voorts omdat ik er niet langer toe in staat ben. Hoe kun je zelfs nog maar een beetje bewegen met een lichaam van honderdtachtig kilo? U merkt het, sinds ik in Irak vertoef, ben ik honderd kilo aangekomen. Zeventien kilo per jaar. En het is nog niet afgelopen. Ik heb nog achttien maanden voor de boeg: genoeg om dertig kilo dikker te worden. En dan ga ik ervan uit dat ik niet meer aankom als ik weer in mijn land ben. Zoals zoveel Amerikaanse soldaten ben ik een boulimiepatiënt die niet in staat is om over te geven. In die omstandigheden is vermageren het laatste wat ik me kan voorstellen.

Honderd kilo, dat is een enorme persoon. Ik ben een enorme persoon rijker geworden sinds ik in Bagdad verblijf. Aangezien ze hier tot mij is gekomen, noem ik haar Sheherazade. Dat is niet aardig voor de echte Sheherazade, die vast een rank schepsel was. Ik identificeer haar echter liever met één persoon dan met twee, en eerder met een vrouw dan met een man, ongetwijfeld omdat ik heteroseksueel ben. Trouwens, Sheherazade bevalt me wel. Ze praat hele nachten lang met me. Ze weet dat ik niet meer kan vrijen, dus vertelt ze in de plaats daarvan mooie verhalen die me betoveren. Ik vertrouw u mijn geheim toe: dankzij Sheherazades verdichtsels kan ik mijn zwaarlijvigheid verdragen. Ik hoef u niet uit te leggen wat er zou gebeuren als de jongens wisten dat ik mijn vet een vrouwennaam gaf. Maar u, u zult geen oordeel over me vellen, dat weet ik. In uw boeken komen heel wat zwaarlijvigen voor, en u beschrijft hen nooit als mensen zonder waardigheid. En in uw boeken vinden mensen bizarre verhalen uit om verder te kunnen leven. Zoals Sheherazade.

Het lijkt wel of zij de brief schrijft, ik kan er maar geen eind aan maken. Ik heb nog nooit zo'n lang bericht geschreven in mijn leven, wat bewijst dat ik het niet zelf doe. Ik verafschuw mijn zwaarlijvigheid, maar ik houd van Sheherazade. 's Nachts, wanneer mijn gewicht op mijn borstkas drukt, denk ik dat ik het niet zelf ben, maar een mooie jonge vrouw die zich op mijn lichaam heeft neergevlijd. Wanneer ik helemaal opga in het verzinsel, hoor ik haar lieflijke vrouwenstem onzegbare dingen in mijn oor fluisteren. Dan omhelzen mijn dikke armen dit vlees en geloof ik er zo diep in dat ik niet mijn vet voel, maar de zachte vormen van een geliefde aanraak. Geloof me, op zulke momenten ben ik gelukkig. Meer nog: wij zijn gelukkig, zij en ik, zoals alleen geliefden dat kunnen zijn.

Ik weet dat het me helemaal geen bescherming biedt: je kunt best sterven van zwaarlijvigheid en aangezien ik zal blijven aankomen, staat dat me te wachten. Maar als Sheherazade me tot het einde op prijs stelt, zal ik gelukkig sterven. Zo, dat wilden Sheherazade en ik u vertellen.

Met oprechte groet,
Melvin Mapple
Bagdad, 5/03/2009

Beste Melvin Mapple,

Bedankt voor uw verbluffende brief, die ik zonet met verbijstering en verwondering heb gelezen en herlezen. Ik ben diep getroffen door wat u schrijft. Naarmate ik er vaker aan terugdenk, ben ik steeds meer gechoqueerd, onthutst en uit het lood geslagen. Mag ik jullie, Sheherazade en u, vragen om me het verhaal steeds opnieuw te vertellen? Nooit eerder las ik zoiets.

Met vriendelijke groet,
Amélie Nothomb
Parijs, 10/03/2009

Koortsachtig wachtte ik op Melvins volgende brief. Ik werd voortdurend overvallen door buitenissige beelden: achtereenvolgens zag ik uiteengereten Irakezen, ontploffingen die mijn hoofd deden barsten en Amerikaanse soldaten die op aanstootgevende wijze zaten te schransen tot ze de explosies van het front in hun buiken reproduceerden. Ik zag de corpulentie terrein winnen, de ene na de andere stelling die werd verloren naarmate weer een grotere maat noodzakelijk werd, het vetfront dat oprukte op de kaart. Het Amerikaanse leger vormde een opzwellende eenheid, het leek wel een gigantische larve die onbestemde materie verorberde, misschien de Iraakse slachtoffers. Een van de militaire eenheden is het 'korps', zeg maar een lichaam, en dat was ongetwijfeld wat ik zag, voor zover je een lichaam kunt herkennen in zo'n bloeiende vetmassa. Het Engelse *corpse* betekent 'lijk'. In het Frans is dat slechts een van de mogelijke betekenissen van het woord *corps*. Leeft een zwaarlijvig lichaam? Het enige bewijs dat het niet dood is, bestaat erin dat het nog dikker wordt. Dat is de logica van obesitas.

Vervolgens zag ik iemand die Melvin Mapple kon zijn en die 's nachts lag te stikken in zijn slaap. Ik rekende dat van de honderd kilo die hij was aangekomen, het gewicht van zijn borst en buik goed moest zijn voor de helft: vijftig kilo was een aannemelijk gewicht voor Sheherazade, zodat ik geloof hechtte aan het bestaan van de geliefde die zich op zijn borst had neergevlijd. En ik zag de idylle, de intieme conversatie, de liefde die plotseling ontlook waar je haar het minst verwachtte. Na zes jaar oorlog waren er al meer dan duizend en een nachten verstreken.

'Wie de engel wil spelen, gedraagt zich als een beest.' We weten het al sinds Pascal. Melvin Mapple voegde daar zijn versie aan toe: wie het beest wil spelen, gedraagt zich als een engel. Zijn verhaal getuigde natuurlijk niet enkel van een engelachtig verlangen om louter geest te zijn, integendeel. De kracht van het visioen waarmee mijn correspondent het ondraaglijke kon overleven, dwong echter respect af.

Op de Parijse boekenbeurs was een jong corpulent meisje dat haar boek door mij wilde laten signeren. Ik was zodanig besmet door Melvins brief dat ze een frêle juffrouw leek, verstrengeld in een omhelzing met een romeo die zich in haar lichaam had genesteld.

Beste Amélie Nothomb,

Ik ben getroffen door uw reactie. Toch hoop ik dat u de situatie waarin ik verkeer niet te veel romantiseert. Weet u, ook al is Obama president, de oorlog is nog niet voorbij. Hij zou pas kunnen eindigen als het andere kamp vond dat hij afgelopen was. Zolang we hier nog blijven, zullen we gevaar lopen. De vreselijke aanvallen waaraan ik mijn vraatzucht heb te danken, zijn natuurlijk voorbij. Maar als we ook maar even buitenkomen, worden we schietschijven en er vallen nog steeds doden in onze gelederen. Ze mogen ons hier namelijk niet en daar is ongetwijfeld een reden voor.

Dikzakken zoals ik staan altijd in de frontlijn. Ik hoef u niet uit te leggen waarom, het spreekt voor zich: een dikkerd is het ideale menselijke schild. Terwijl een normaal lichaam slechts één individu beschermt, kan het mijne er twee of drie beschutten. We zijn dan ook aanwezig als bliksemafleiders: de Irakezen lijden zoveel honger dat ze door onze zwaarlijvigheid worden getergd en ze willen dan ook in de eerste plaats ons kapotschieten.

Ik ben ervan overtuigd dat de Amerikaanse legerleiding hetzelfde wil. Er is nog een reden waarom de zwaarlijvigen gegarandeerd hier blijven tot de allerlaatste dag die Obama heeft bepaald: om de kans dat we worden vermoord zo groot mogelijk te maken. Na elk conflict hebben we soldaten met afschuwelijke ziektebeelden zien terugkeren naar de Verenigde Staten, waardoor het hele land een slecht geweten kreeg. Maar die stoornissen waren altijd zo vreemd dat de bevolking de oorzaak zocht bij wat in een oorlog het menselijke verstand te boven gaat.

Zwaarlijvigheid is echter niet vreemd in Amerika, enkel belachelijk. Ook al is het een ziekte, ze wordt zelden als dusdanig erkend door gewone mensen, die het over ons hebben als lui die wat te veel van het leven genieten. Het Amerikaanse leger kan alles aanvaarden, behalve dat het belachelijk wordt gemaakt. 'U bent door de hel gegaan? Dat is er niet aan te zien!' of: 'Wat hebt u in Irak gedaan, behalve eten?', dat soort reacties zullen we oogsten. We zullen echte problemen krijgen met de publieke opinie. Het is noodzakelijk dat het Amerikaanse leger een viriel beeld kan uitdragen van een harde en dappere strijdmacht. Onze zwaarlijvigheid, die ons opzadelt met enorme borsten en achterwerken, zorgt echter voor een slap en laf vrouwelijk imago.

De korporaals hebben geprobeerd om ons op dieet te zetten. Dat bleek onmogelijk: door onze vraatzucht zijn we tot alles in staat. Eten is een drug als een andere en donuts dealen is gemakkelijker dan coke slijten. Tijdens de periode van het eetverbod dat ons werd opgelegd, kwamen we nog meer aan dan normaal. Toen ze het voedselembargo ophieven, kwam onze gewichtstoename weer op kruissnelheid.

Laten we het eens over drugs hebben. Een moderne oorlog valt niet te verdragen zonder verdovende middelen. In Vietnam hadden onze jongens opium, en wat er ook over wordt verteld, de verslaving die daardoor wordt teweeggebracht is veel minder erg dan mijn afhankelijkheid van broodjes pastrami. Toen de boys in de jaren zestig en zeventig terug naar huis kwamen, was er geen een die opium bleef gebruiken, want dat spul is niet gemakkelijk te krijgen in de VS. Maar hoe zullen wij ons na onze thuiskomst de junkfood die binnen handbereik is ontzeggen? De legerleiding had er beter aan gedaan ons opium te geven, dan zouden we nu niet zwaarlijvig zijn. Van alle drugs is voedsel het gevaarlijkst en het meest verslavend.

Blijkbaar moet je eten om te leven. Wij, wij eten om te sterven. Dat is voor ons de enige manier om zelfmoord te plegen. We lijken nog amper mensen omdat we zo kolossaal zijn, en toch zijn het de menselijksten onder ons die naar vraatzucht zijn afgegleden. Er zijn kerels die deze afschuwelijke oorlog hebben verdragen zonder dat zich enig ziektebeeld bij hen manifesteerde. Ik bewonder hen niet. Hun houding getuigt niet van dapperheid, maar van een gebrek aan gevoeligheid.

Er waren geen massavernietigingswapens in Irak. Zelfs al bestond daar ooit enige twijfel over, tegenwoordig is dat zeker niet meer het geval. Dit conflict was dus een schandalig onrecht. Ik probeer me niet vrij te pleiten. Ook al ben ik minder schuldig dan George W. Bush en zijn bende, toch ben ik ook schuldig. Ik heb meegedaan aan deze verschrikking, ik heb soldaten gedood, ik heb burgers gedood. Ik heb woningen opgeblazen waarin vrouwen en kinderen zaten, die door mijn schuld zijn gestorven.

Soms denk ik bij mezelf dat Sheherazade een van de Iraakse vrouwen is die ik heb afgeslacht zonder hen te zien. Ik draag het gewicht van mijn misdaad, en dat bedoel ik niet metaforisch. Ik mag me gelukkig prijzen, Sheherazade heeft redenen genoeg om me te haten. 's Nachts voel ik echter dat ze van me houdt. Probeer het maar te begrijpen: ik haat mijn vet, dat me de hele dag lang foltert. Het is een marteling om met die last te moeten leven, de spoken van mijn slachtoffers kwellen me. En toch gaat in deze vleesberg Sheherazade schuil, die me liefde geeft wanneer de lichten zijn gedoofd. Weet ze dat ik waarschijnlijk haar moordenaar ben? Ik heb het al tegen haar gefluisterd als antwoord op sommige van haar verklaringen. Het scheen haar niet te storen. De liefde is een raadsel.

Ik haat het om in Bagdad te zijn. Toch heb ik niet veel zin om terug te keren naar Baltimore. Ik heb mijn familieleden niet verteld dat ik meer dan honderd kilo dikker ben geworden en ben doodsbang voor hun reactie. Ik ben niet in staat om op dieet te gaan. Ik wil Sheherazade niet verliezen. Als ik vermagerde, zou ik haar een tweede keer doden. Indien ik als straf voor deze oorlogsmisdaad mijn slachtoffer in de vorm van een embonpoint met me moet meedragen, aanvaard ik dat. In de eerste plaats is dat rechtvaardig en verder ben ik er op een onverklaarbare manier gelukkig door. Het is geen masochisme, ik ben niet van dat slag.

In Amerika, toen ik nog slank was, heb ik heel wat avontuurtjes met vrouwen gehad. Ze waren genereus voor mij, ik heb niet te klagen. Soms werd ik zelfs verliefd. Zoals iedereen weet is vrijen met de vrouw van wie je houdt het toppunt van geluk op aarde. Wel, wat ik met Sheherazade beleef is nog beter. Is het omdat ze mijn intimiteit op de meest concrete manier met me deelt? Of ligt het gewoon aan haar?

Als mijn leven enkel uit nachten bestond, zou ik de gelukkigste man op aarde zijn. Maar ik ga gebukt onder de last van sommige dagen, en dat bedoel ik letterlijk. Ik moet mijn lichaam meezeulen. Het kan niet genoeg benadrukt worden welke lijdensweg zwaarlijvigen moeten doorstaan. De slaven die de piramides bouwden moesten niet zo'n grote last dragen als ik, die mijn vracht nooit kan neerleggen. Het eenvoudige genot om met lichte tred te kunnen lopen, zonder het gevoel te hebben dat ik word verpletterd, mis ik vreselijk. Ik heb zin om tegen gewone mensen te roepen dat ze moeten profiteren van het onwaarschijnlijke voorrecht waarvan ze zich niet bewust lijken te zijn: huppelen, zich onbekommerd voortbewegen, genieten van de dansbewegingen bij de banaalste verplaatsingen. En dan zijn er mensen die mopperen omdat ze te voet boodschappen moeten doen of tien minuten moeten lopen naar de metro!

Maar het ergste is de minachting. Mijn redding is dat ik niet de enige zwaarlijvige ben. Dankzij de solidariteit van de anderen zink ik niet dieper in de put. Blikken, opmerkingen en pesterijen ondergaan, daar lijd je gigantisch onder. Ik weet niet hoe ik me vroeger gedroeg tegen de pafferige vetzakken die ik tegenkwam. Deed ik ook schofterig tegen hen? Zonder last te hebben van mijn geweten, want als een dikzak dik is, is het toch zijn eigen schuld, je wordt niet vanzelf dik, dus we houden ons niet in, we hebben het recht om hem te doen boeten, hij is niet onschuldig.

Het is waar, ik ben niet onschuldig. Op geestelijk, noch op lichamelijk gebied. Ik heb oorlogsmisdaden begaan, ik heb gevreten als een monster. Maar van de mensen die het zich hier permitteren om een oordeel over mij te vellen is er geen een beter dan ik. Onze gelederen bestaan uitsluitend uit moordenaars zoals ik. Dat ze niet dikker zijn geworden, bewijst alleen dat ze geen gewetensbezwaren hebben over hun wandaden. Ze zijn erger dan ik.

Als ik met mijn kameraden aan het schrokken ben, roepen de magere soldaten ons toe: 'Godverdomme, kerels, houd toch op! Jullie doen ons walgen, we moeten kotsen als we jullie zien vreten!' We zeggen niets terug, maar we spreken er wel over met elkaar. Zij zijn het die ons doen walgen door normaal te eten, omdat het afslachten van burgers geen enkele invloed op hun manier van leven heeft, er valt geen spoor van een trauma bij hen te bekennen. Sommigen verdedigen hen door te beweren dat ze misschien aan een verborgen aandoening lijden. Alsof een verborgen aandoening zou volstaan als boetedoening voor misdaden die helemaal niet zo verborgen zijn! Wij uiten onze schuldgevoelens tenminste met veel vertoon. Onze wroeging is niet discreet. Getuigt dat niet van veel respect voor de mensen die we zo diep hebben gekwetst?

Wij verafschuwen het woord 'dikzak' en noemen elkaar saboteurs. Onze zwaarlijvigheid is een geweldige en spectaculaire sabotageactie. We kosten het leger veel geld. Ons voedsel is goedkoop, maar we eten er zo ontstellend veel van dat de rekening gepeperd moet zijn. Dat treft, de staat trakteert. Op een gegeven moment, na een klacht van de militaire intendance, probeerde de legerleiding soldaten die meer dan twee porties namen te doen betalen. Helaas voor hen hebben ze die streek niet proberen uit te halen met een brave kerel, maar met onze makker Bozo, een gemene dikzak bij uitstek. U had Bozo's gezicht moeten zien toen de garde hem de rekening overhandigde! Geloof het of niet, maar Bozo dwong hem om het papiertje op te eten. En nadat hij het had doorgeslikt, schreeuwde Bozo: 'Je mag van geluk spreken. Als je dat nog eens flikt, eet ik jou op.' Het is nooit meer aan de orde geweest.

Onze kleren kosten ook veel geld: elke maand hebben we een ander uniform nodig omdat we niet meer in het oude kunnen. Onze broek noch ons hemd kunnen we nog dichtknopen. Naar het schijnt heeft het leger voor ons kledingstukken moeten invoeren met een nieuwe maat: XXXXL. We zijn er trots op, en geen klein beetje. Ik hoop dat ze met een XXXXXL op de proppen komen, want we zijn niet van plan om te stoppen nu we zo goed op weg zijn. Onder ons gezegd, als ze niet zo stom waren, zouden ze uniformen van stretchstof vervaardigen. Ik heb het erover gehad met de materiaalbeheerder en hij antwoordde: 'Onmogelijk. Stretch staat haaks op de militaire geest. We hebben rigide kleren nodig, van niet-uitrekbare stoffen. Elastiek is de vijand van het leger.' Ik dacht dat we in oorlog waren met Irak, nu ontdek ik dat we oorlog voeren tegen latex.

Onze gezondheidszorg kost veel geld. Als je zwaarlijvig bent, heb je altijd wel ergens last van. De meesten van ons zijn hartlijders geworden: we moeten medicijnen nemen voor onze tikkers. En voor onze verhoogde bloeddruk. Het ergste was toen ze ons wilden opereren. Wat een gedoe! Ze hadden een chirurg uit de Verenigde Staten laten overkomen die bekendstaat als specialist in het plaatsen van maagbanden. Ze klemmen een soort van ring rond je maag zodat je geen honger meer hebt. Maar ze hebben niet het recht om dat ding tegen je wil in je lijf te stoppen, en niemand ging akkoord. We willen honger hebben! Eten is onze drug, onze uitlaatklep, daar willen we geen afstand van doen. U had het gezicht van de chirurg moeten zien toen hij besefte dat er geen kandidaten waren! De korporaals hebben toen de zwakke schakel ontdekt, een zeker Iggy, die zichtbaar meer complexen over zijn overgewicht had dan wij. Ze zijn zijn moreel gaan ondermijnen door hem foto's van vroeger te tonen: 'Je was mooi, Iggy, toen je nog mager was! Wat zal je vriendinnetje zeggen als je thuiskomt? Ze zal je niet meer willen!' Iggy is ingestort, ze hebben hem geopereerd. Het lukte, hij vermagerde zienderogen. Wel keerde die beroemde chirurg, die zich beledigd voelde door zijn geringe succes, terug naar Florida. Kort daarna ging het mis met de maagring, hij was verschoven, Iggy moest dringend worden geopereerd. De legerartsen verknalden het en de arme kerel is gestorven. Blijkbaar was het onvermijdelijk, tenzij er een specialist aanwezig was kon de operatie niet lukken. Ze hadden de chirurg uit Florida moeten terughalen, maar hij zou nooit op tijd geweest zijn. Om kort te gaan, Iggy's familie spande een proces aan tegen het Amerikaanse leger en won het met gemak. De staat moest Iggy's ouders een enorme schadevergoeding betalen.

Ook op het gebied van gerechtskosten komen we het leger dus op veel geld te staan. Het voorval met Iggy heeft ons op ideeën gebracht. Alles welbeschouwd is het immers de schuld van George W. Bush dat we zwaarlijvig zijn. Ik ken er een paar die fanatiek zullen gaan procederen zodra ze weer in het land zijn. Ik zal dat niet doen. Ik heb liever niets meer met die mensen te maken. Het zijn misdadigers: in naam van een leugen hebben ze duizenden onschuldigen de dood ingejaagd en de levens van hen die er heelhuids uit zullen komen verpest.

Ik zou ze nog meer schade willen berokkenen. Helaas behoor ik tot een redelijk onschadelijke soort. Ik saboteer het systeem dus het meest door te vreten. Helaas is het een kamikazeactie: hoe dichter ik bij mijn doel kom, hoe meer ik mezelf vernietig.

Toch ben ik behoorlijk trots op mijn laatste overwinning: ik pas niet meer in de tanks. De ingang is te smal. Zoveel te beter, ik ben altijd doodsbang geweest in die dingen, waarin je claustrofobisch wordt en niet zo goed beschut bent als je denk.

U ziet hoe lang mijn brief is. Ik kan er niet over uit dat ik zoveel heb geschreven. Ik had het nodig. Hopelijk heb ik u niet overstelpt.

Met oprechte groet,
Melvin Mapple
Bagdad, 17/03/2009

Gewoonlijk stel ik lange brieven niet op prijs. Meestal zijn dat de minst interessante. Al meer dan zestien jaar lang krijg ik zoveel post dat ik ongewild een instinctieve en experimentele theorie van de briefschrijfkunst ontwikkeld heb. Zo stelde ik vast dat de beste brieven nooit langer zijn dan twee dubbelzijdige A4'tjes (het is belangrijk dat ze dubbelzijdig zijn beschreven: uit liefde voor de bossen moeten we papier recto verso gebruiken; wie dat weigert in naam van een oude beleefdheidsregel, stelt vreemde prioriteiten). Dat is niet absurd, het getuigt van een gebrek aan respect om van jezelf te denken dat je meer te zeggen hebt, en onbeleefdheid maakt niemand interessant. Madame de Sévigné heeft het zeer mooi gezegd: 'Excuseer, ik heb geen tijd om het kort te houden.' Overigens is haar voorbeeld volledig in tegenspraak met mijn theorie: haar brieven zijn altijd meeslepend.

Hoewel zeer verschillend van Madame de Sévigné gaf Melvin Mapple me ook een deksels tegenvoorbeeld. Zijn brieven leken me niet eens lang, zozeer boeiden ze me. Je voelde dat ze waren geschreven uit de meest absolute noodzaak: een betere muze bestaat niet. Ik kon niet anders dan onmiddellijk antwoorden, wat niet mijn gewoonte is.

Beste Melvin Mapple,

Bedankt voor uw brief, die me steeds meer fascineert. Vrees niet dat u me zult overstelpen: als het aan mij ligt, zult u me nooit genoeg kunnen schrijven.

Ja, uw boulimie en die van uw medestanders is een sabotagedaad. Gefeliciteerd. De slagzin 'make love not war' kenden we al. U maakt er iets anders van: eten in plaats van oorlog te voeren. Dat is buitengewoon lovenswaardig. Ik besef echter welk gevaar u loopt en verzoek u om in de mate van het mogelijke goed voor uzelf te zorgen.

Met vriendelijke groet,
Amélie Nothomb
Parijs, 24/03/2009

Beste Amélie Nothomb,

Uw brief komt zeer gelegen. Ik zit diep in de put. Gisteren hebben we bonje gehad met de magere soldaten van ons contingent. Het gebeurde tijdens het avondeten. Wij zwaarlijvigen hebben de gewoonte om samen te eten, dan kunnen we complexloos bunkeren, onder elkaar, en moeten we geen kwetsende blikken en opmerkingen ondergaan. Als iemand zichzelf overtreft door nog meer te vreten, complimenteren we hem met een lovend gezegde dat we hebben bedacht: '*That's the spirit, man!*' Joost mag weten waarom die uitlating voor hilariteit zorgt.

Gisteravond kwamen de anderen rond onze tafel staan om ons uit te dagen, ongetwijfeld omdat er de laatste tijd niet veel gevochten is.

'Zo, papzakken, gaat het lekker?'

Omdat het zachtmoedig begon, maakten we ons geen zorgen en antwoordden we met de gebruikelijke clichés.

'Hoe spelen jullie het klaar om zo te vreten terwijl jullie al gigantisch zijn? Met jullie reserves zouden jullie geen honger mogen hebben.'

'We moeten onze kilo's toch onderhouden', zei Plumpy.

'Ik vind het walgelijk om te zien hoe jullie je volproppen', merkte een onbenul op.

'Dan moet je maar niet kijken', antwoordde ik.

'Oké, maar hoe dan? Jullie nemen het hele gezichtsveld in beslag. We zouden graag naar iets anders kijken, maar er zit altijd een vetrol in de weg.'

We lachten.

'Vinden jullie het grappig?'

'Ja. Jullie maken grapjes, dus we lachen.'

'Misschien vinden jullie het vooral grappig om eten te stelen van het leger?'

'We stelen niets. Je ziet het: we eten in het bijzijn van iedereen, zonder ons te verstoppen.'

'Nu ja. Dat wil nog niet zeggen dat jullie niet stelen. Jullie schrokken allemaal tienmaal onze rantsoenen naar binnen.'

'We beletten jullie niet om meer te eten.'

'We hebben geen zin om meer te eten.'

'Wat is het probleem dan?'

'Jullie bestelen het leger, dus jullie bestelen Amerika.'

'Het gaat goed met Amerika.'

'Er zijn massa's mensen die sterven van de honger in het land.'

'Dat is onze schuld niet.'

'Hoe weten jullie dat nou? Het is de schuld van dieven en profiteurs zoals jullie dat mensen armoede lijden bij ons.'

'Nee. Het is de schuld van veel hoger geplaatste dieven.'

'Jullie geven dus toe dat jullie dieven zijn.'

'Dat hebben we niet gezegd.'

Het liep snel uit de hand.

Bozo was de eerste die opstond om een schriel mannetje een oplawaai te verkopen. Ik probeerde hem tegen te houden.

'Je ziet toch dat hij dat wil!'

'Ik zal hem zijn zin geven!'

'Nee! Dan gooien ze je in de bak.'

'Niemand stuurt mij naar de nor.'

'Ze zullen de deur van de bak groter moeten maken', brulde het onderdeurtje.

Toen kon ik Bozo niet meer tegenhouden. Het opstootje escaleerde. De dikkerds zijn a priori in het voordeel, dat spreekt voor zich. Met ons gewicht kunnen we iedereen vloeren. Maar we hebben een achilleshiel: vallen. Als we tegen de grond gaan, komen we moeilijk overeind. De anderen hebben dat goed begrepen. Ze kwamen dan ook aan onze enkels hangen, probeerden ons beentje te lichten of rolden als flessen over de grond, tegen onze voeten aan. Plumpy viel, ze stortten zich op hem en begonnen hem als gekken af te tuigen. We schoten hem te hulp en rukten de onbenullen die Plumpy's lichaam verwoed aanvielen los alsof het vlooien waren. Een kok kwam binnen met chili con carne. Een van de kerels rukte de steelpan uit zijn handen en goot de kokende chili lachend over Plumpy's hoofd: 'Heb je honger? Eet dan!' De arme stakker schreeuwde het uit. De kok waarschuwde de bevelhebbers, die het op ons gemunt hadden toen ze arriveerden. Zo werd de ruzie gesust. Maar die arme Plumpy had tweedegraadsverbrandingen in zijn gezicht. De schoften!

Er werden strafmaatregelen genomen, en niet alleen voor de magere soldaten! Er kwam een soort van proces, en ook al zeiden we dat ze ons hadden geprovoceerd, we werden niet vrijgepleit. Een vent protesteerde zelfs dat wij wandelende provocaties waren door onze afmetingen, en de legerleiding betwistte dat niet. We voelden dat ze het ermee eens was.

Bozo kreeg hetzelfde vonnis als de kerel die Plumpy's gezicht had verminkt: drie dagen hechtenis. Hij schreeuwde:

'Ik moet me dus laten beledigen?'

'U mag uw tegenstander niet lichamelijk aanvallen.'

'Dat deed hij toch ook!'

'U maakt er een woordspel van.'

Wat niemand zei tijdens het proces, ook al voelden we het allemaal, is dat ze ons enorm haten. Wie wat mollig is kan nog op sympathie rekenen, maar zwaarlijvigen worden gehaat, zo is het nu eenmaal. Toegegeven, we zijn niet mooi. Ik heb ons aandachtig bekeken: niet onze lichamen, maar onze gezichten zijn het ergst. Als je zwaarlijvig bent, krijg je een afzichtelijke gelaatsuitdrukking die tegelijkertijd ongevoelig, huilerig, misnoegd en stompzinnig is. Dat is geen goed begin als je in de smaak wilt vallen.

Na het schijnproces zakte de stemming onder het vriespunt. Toen we een milkshake dronken in de cafetaria om op te kikkeren, kwam de kok die de chili had gebracht met ons praten. Hij deelde onze verontwaardiging en zijn gedachten waren bij Plumpy. Voor een keer dat een slanke kerel aan onze kant stond, heb ik mijn hart uitgestort. Ik vertelde hem dat we zoveel vraten uit verzet, het was een heftig antwoord op het geweld dat we doorstonden.

'Zou het omgekeerde niet handiger zijn?' stelde hij voor.

'Wat bedoel je?' vroeg ik.

'Een hongerstaking zou meer indruk maken en door iedereen gerespecteerd worden.'

We wisselden een geschokte blik uit.

'Heb je gezien met wie je aan het praten bent?' zei ik.

'Iedereen kan in hongerstaking gaan', antwoordde de simpele ziel.

'Om te beginnen denk ik niet dat iedereen het kan. Maar vooral wij niet. Je ziet dat er zich alleen mannen met enorme reserves onder ons bevinden. Eigenlijk zijn we de ergste junkies op aarde. Voedsel in grote hoeveelheden is een hardere drug dan heroïne. Schransen is als een geweldig shot, het bezorgt je ongelooflijke gevoelens, onbeschrijflijke gedachten. Een hongerstaking zou voor ons overeenstemmen met een zeer zware *cold turkey*, zoals bij heroïneverslaafden die ze moeten opsluiten. Voor ons zou een cel niet volstaan. Er zou maar één manier zijn om te verhinderen dat we eten: een dwangbuis. Maar ik geloof niet dat die in onze maat bestaan.'

'Gandhi, die...' begon de kok.

'Stop. Weet je hoe groot de kans is dat Bozo Gandhi wordt? Onbestaande. En hetzelfde geldt voor mij en mijn maten. Het is echt walgelijk om van ons te eisen dat we heiligen zijn. Jij zult er ook geen worden, dus waarom zou je het dan wel van ons verwachten?'

'Ik weet het niet, ik zoek een oplossing voor jullie.'

'En zoals altijd bestaat de enige oplossing die jullie kunnen bedenken erin dat we boven onszelf uitstijgen. Blijkbaar is dat de enige mogelijkheid voor zwaarlijvigen. Welnu, zwaarlijvigheid is een ziekte. Als iemand kanker heeft, zal niemand hem schaamteloos voorstellen dat hij boven zichzelf moet uitstijgen. Ja, ik weet het, daarmee kun je het niet vergelijken. Als wij honderdtachtig kilo wegen, is het onze eigen schuld. We hadden maar niet moeten vreten als varkens. Een kankerpatiënt is een slachtoffer, wij niet. Wij hebben het zelf gezocht, we hebben gezondigd. Daarom moeten we het weer goedmaken door een heiligenleven te leiden, bij wijze van boetedoening.'

'Dat bedoelde ik niet.'

'Dat is nochtans wat het betekent.'

'Verdomme, jongens, ik sta aan jullie kant.'

'Ik weet het. Dat is ook zo vreselijk: zelfs onze vrienden begrijpen ons niet. Zwaarlijvigheid is geen ervaring waarover te communiceren valt.'

Toen dacht ik aan u. Misschien is het een illusie die werd veroorzaakt door onze briefwisseling, maar ik heb de indruk dat u me begrijpt. Ik weet dat u ook een eetstoornis hebt gehad, maar een heel andere. Of misschien is het omdat u schrijfster bent. We verbeelden ons - misschien naïef - dat romanschrijvers toegang hebben tot de zielen van mensen, tot ervaringen die ze niet zelf hebben gehad. Het was me opgevallen in Truman Capotes *In koelen bloede*: ik had de indruk dat de auteur op vertrouwelijke voet stond met elk personage, zelfs met de nevenfiguren. Ik wilde dat u me ook zo doorgrondde. Het is ongetwijfeld een absurde wens die te wijten is aan de minachting die me te beurt valt en waaronder ik gebukt ga. Ik heb een mens nodig die een buitenstaander is en tegelijkertijd dicht bij mij staat: zo zijn schrijvers, niet?

U zult me zeggen dat er nog andere schrijvers zijn en dat het Engels bovendien niet uw moedertaal is. Ik weet het. Maar u wekt die gevoelens bij me op, ik kan er niets aan doen. In gedachten heb ik alle levende romanschrijvers de revue laten passeren. Natuurlijk had ik een artikel gelezen waarin u zei dat u brieven beantwoordt, wat niet vaak voorkomt. Toch zweer ik u dat dat niet de reden is. Het is alsof alles mogelijk was met u. Het is moeilijk om het uit te leggen.

Wees gerust, ik beschouw u niet als een zielenknijper. Aan zielenknijpers is er hier geen gebrek. Ik heb er meerdere geprobeerd. Je praat drie kwartier lang in absolute stilte met hen en daarna schrijven ze je Prozac voor. Dat weiger ik te slikken. Ik heb niets tegen zielenknijpers, maar die van het Amerikaanse leger overtuigen me niet. Van u verwacht ik iets anders.

Ik wil bestaan voor u. Is dat pretentieus? Ik weet het niet. Vergeef me als het antwoord ja is. Het is het meest oprechte wat ik tegen u kan zeggen: ik wil bestaan voor u.

Met oprechte groet,
Melvin Mapple
Bagdad, 31/03/2009

Melvin was lang niet de eerste die de behoefte had om te bestaan voor mij en te voelen dat alles mogelijk was met mij. Het gebeurde echter zelden dat iemand dat zo eenvoudig en duidelijk tegen me zei.

Ik weet niet goed wat voor effect het op me heeft als ik zulke woorden ontvang: een combinatie van ontroering en ongerustheid. Als je zulke woorden met een geschenk moet vergelijken, is het alsof je een hond krijgt. Je bent ontroerd door het dier, maar je denkt ook dat je ervoor zult moeten zorgen en dat je daar helemaal niet om hebt gevraagd. Maar die hond zit daar met zijn vriendelijke ogen, je zegt bij jezelf dat hij er ook niets aan kan doen, dat hij altijd de maaltijdresten zal krijgen, dat het gemakkelijk zal zijn. Het is een tragische, maar onontkoombare vergissing.

Ik vergelijk Melvin Mapple niet met een hond, het zijn die bepaalde woorden die ik ermee gelijkstel. Sommige zinnen zijn als honden. Dat is verraderlijk.

Beste Melvin Mapple,

Uw brief heeft me geraakt. U bestaat voor mij, twijfel daar niet aan. *In koelen bloede* is een meesterwerk. Ik ben vast niet even goed als Truman Capote, maar ik heb wel de indruk dat ik u doorgrond.

Het voorval met de rel en de nasleep ervan is vreselijk en onrechtvaardig. Ik geloof dat ik begrijp wat u voelt. Er wordt een zielengrootheid van u geëist waar anderen niet toe in staat zouden zijn, alsof u vergiffenis zou moeten vragen voor uw zwaarlijvigheid. Zeg tegen Plumpy dat ik aan hem denk.

Ik weet niet of alles mogelijk is met mij, ik begrijp niet wat dat zou kunnen betekenen. Ik weet dat u voor mij bestaat.

Met vriendelijke groet,
Amélie Nothomb
Parijs, 6/04/2009

Toen ik de brief postte, bedacht ik me dat behoedzaamheid nooit mijn sterkste punt is geweest.

Beste Amélie Nothomb,

Excuseer, ik heb me nogal onbeholpen uitgedrukt in mijn laatste brief. U moet het vreemd hebben gevonden om te lezen dat alles mogelijk is met u. Het was niet oneerbiedig bedoeld. Ik heb nooit talent gehad om mijn gevoelens te verwoorden, dat heeft me al parten gespeeld. Bedankt om te schrijven dat ik voor u besta, dat is erg belangrijk voor mij.

U ziet het, ik leid hier een kutleven. Als ik voor u besta, lijkt het alsof ik elders een ander leven heb: het leven dat ik in uw gedachten leid. Het is niet zo dat ik in uw verbeelding wil bestaan, ik weet niet welke vorm uw gedachten voor mij aannemen. Ik ben een gegeven in uw brein, ik besta niet uitsluitend in de gedaante die ik in Irak belichaam. Dat is een troost.

Uw brief dateert van 6 april. In de *New York Times* van de dag ervoor las ik uw hoofdartikel over het bezoek van president Obama aan uw land. Het is merkwaardig dat ze u hebben gekozen om Frankrijk te vertegenwoordigen, hoewel u Belgische bent. Ik was onder de indruk toen ik uw handtekening in de krant zag. Ik heb ze aan mijn vrienden getoond, en ze zeiden: 'Is dat degene naar wie je brieven stuurt?' Ik was trots. Ik vind uw artikel leuk. De dingen die u over president Sarkozy schreef, zijn grappig.

Vanaf 7 april gingen de Engelse soldaten naar huis. We kenden ze niet. Toch voelt het erg rot om te zien dat het voor hen zo snel gaat. Toegegeven, wij Amerikanen zijn talrijker. Maar wat doen we hier? Soms denk ik bij mezelf dat ik zoveel ben aangekomen in Irak om iets om handen te hebben. Het lijkt cynisch om zoiets te schrijven, ik weet best dat we dingen hebben gedaan in dit land: we hebben veel mensen gedood, massa's infrastructuur vernield enzovoort. Ik heb eraan meegewerkt, ik heb er afschuwelijke herinneringen aan. Ik ben schuldig, ik probeer mijn verantwoordelijkheid niet uit de weg te gaan. En toch heb ik niet het gevoel dat ik het zelf ben. Ik besef het, schaam me, het begrip is er, alles wat u wilt, maar het gevoel ontbreekt.

Wat geeft iemand het gevoel dat hij een daad heeft gesteld? Toen ik vijfentwintig was en buiten sliep, had ik een soort van hut gebouwd in een bos in Pennsylvania. Het was mijn verwezenlijking, ik voelde me verbonden met dat hok. Op dezelfde manier voel ik me verbonden met mijn vet. Misschien is vet het middel dat ik heb gevonden om het kwaad dat ik heb aangericht en niet voel in mijn lijf op te slaan. Het is ingewikkeld.

Kortom, mijn zwaarlijvigheid is mijn oeuvre geworden. Ik blijf er ijverig aan werken. Ik eet als een bezetene. Soms bedenk ik dat ik het misschien goed met u kan vinden omdat u me nog nooit hebt gezien en vooral omdat u me nog nooit hebt zien schransen.

Toen hij nog leefde, verklaarde Iggy dat hij zoveel dikker was geworden om een dam op te werpen tussen hem en de wereld. Voor hem moest dat wel kloppen. Het bewijs is dat hij doodging toen zijn dam verdween. We hebben allemaal verschillende theorieën over ons vet. Bozo zegt dat het zijne kwaadaardig is en dat hij er daarom zoveel mogelijk van wil verzamelen. Ik begrijp wat hij wil zeggen. We ergeren de anderen verrot door hen de aanblik van onze zwaarlijvigheid te doen ondergaan, zo eenvoudig is het. Plumpy denkt dat zijn omvang hem helpt om weer een baby te worden. Misschien is dat het gevoel dat hij heeft. We durven hem niet te vertellen dat we nog nooit zo'n weerzinwekkende baby hebben gezien.

Voor mij ligt het nog anders. Het is geen grap als ik schrijf dat mijn zwaarlijvigheid mijn oeuvre is. U zult dat begrijpen. U hebt een oeuvre, en we weten niet wat een oeuvre is. We besteden er het grootste deel van onze tijd aan en toch is het een mysterie voor ons. Daar houdt de vergelijking op. Uw oeuvre wordt gerespecteerd, u mag er terecht fier op zijn. Maar ook al is het mijne hoegenaamd niet artistiek, toch heeft het betekenis. Het ontstaat natuurlijk niet opzettelijk of met voorbedachten rade, je kunt zelfs zeggen dat ik mijn oeuvre tegen mijn zin schep. En toch overkomt het me wel eens, als ik zit te buffelen als een bezetene, dat ik een soort van enthousiasme ervaar waarmee de schepping van een kunstwerk gepaard gaat, naar ik veronderstel.

Wanneer ik me weeg, voel ik me angstig en beschaamd omdat ik weet dat het getal, dat al beangstigend was, nog erger zal zijn geworden. Desalniettemin ben ik telkens wanneer het nieuwe verdict valt, telkens wanneer ik een nog ondenkbare gewichtsgrens overschrijd, geschokt, natuurlijk, maar ook onder de indruk: ik heb het klaargespeeld. Er zijn dus geen grenzen aan mijn expansie. Er is geen enkele reden waarom het zou ophouden. Tot op welk niveau zou ik kunnen stijgen? Ik zeg 'stijgen' wegens het getal, maar het werkwoord is slecht gekozen, want ik dij eerder uit in de breedte dan in de lengte. 'Zwellen' moet het juiste werkwoord zijn. Mijn volume neemt steeds meer toe, alsof er zich een innerlijke big bang heeft voorgedaan toen ik aankwam in Irak.

Soms, na de maaltijd, wanneer ik neerplof op een stoel (ze hebben er van vormvast staal moeten bestellen), zonder ik me even af met mijn gedachten en zeg ik bij mezelf: Nu moet ik aan het aankomen zijn. Mijn pens begint te werken.

Het is fascinerend om je voor te stellen hoe voedsel wordt omgezet in vetweefsel. Het lichaam is een dekselse machine. Ik vind het jammer dat ik niet kan voelen wanneer de lipiden ontstaan, dat zou ik interessant vinden.

Ik heb al geprobeerd om erover te praten met mijn kameraden, ze antwoordden me dat het obsceen is. 'Als jullie het walgelijk vinden om dikker te worden, stop er dan mee', zei ik. 'Jij gaat dat toch ook niet doen!' reageerden ze. 'Natuurlijk niet,' sprak ik verder, 'maar als we toch geen keuze hebben, waarom zouden we het dan niet met een vrolijke nieuwsgierigheid opnemen? Het is toch een ervaring?' Ze keken me aan alsof ik krankzinnig was.

U begrijp me beter dan zij, zelfs als u uitdrukkelijk in trots gelooft, in een soort van mentale trance, zelfs als u wat u hebt geschreven overleest met een passie die ik bezwaarlijk zou kunnen voelen als ik naar mijn buik kijk, u hebt – dat weet ik zeker – het voortdurende gevoel dat uw oeuvre u overstijgt. Wel, mijn oeuvre overstijgt me ook.

Wanneer ik de moed heb om mijn naakte lichaam te bekijken in een spiegel, dwing ik mezelf om de afschuw die mijn spiegelbeeld bij me opwekt te overstijgen en te denken: Dit ben ik. Ik ben zowel wie ik ben als wat ik doe. Niemand anders dan ik kan prat gaan op zo'n verwezenlijking. Maar heb ik dit werkelijk allemaal alleen gedaan? Dat is niet mogelijk.

Volgens het laatste nieuws zat u aan uw vijfenzestigste manuscript. Uw boeken zijn niet dik, dat is waar. Toch moet u als u uw vijfenzestig werken bekijkt net zoals ik denken dat het niet mogelijk is dat u dat allemaal in uw eentje hebt gepresteerd. Temeer daar het nog niet afgelopen is, u zult nog schrijven.

Ik hoop dat u me niet geschift of indecent vindt.

Met oprechte groet,
Melvin Mapple
Bagdad, 11/04/2009

Ik geef toe dat ik geraakt was door wat hij over mijn hoofdartikel voor de *New York Times* schreef. *Vanitas vanitatum et omnia vanitas.* Wat de rest betreft, voelde ik me enigszins onbehaaglijk bij de gedachte dat hij mijn kinderen van inkt en papier met zijn vetberg vergeleek, ook al begreep ik wat hij bedoelde. De trots die ik koesterde, wilde protesteren dat ik in ascese en hongerend schreef, dat ik tot het uiterste van mijn krachten moest gaan om die allerhoogste daad te kunnen stellen, en dat aankomen, zelfs met zulke enorme hoeveelheden, een minder grote beproeving moest zijn.

Er kon echter geen sprake van zijn dat ik op zo'n onvriendelijke manier zou antwoorden. Ik gaf er de voorkeur aan om zijn boodschap letterlijk te nemen:

Beste Melvin Mapple

Ik zit momenteel aan mijn zesenzestigste manuscript en ben onder de indruk van uw treffende vergelijking. Toen ik uw brief las, dacht ik aan een avant-gardistische stroming in de hedendaagse kunst: bodyart.

Ik heb een jonge kunststudente gekend die bij wijze van eindscriptie had beslist om een kunstwerk te maken van haar anorexia, waar ze toen aan leed: ze fotografeerde geduldig haar vermagerende lichaam in de spiegel van haar badkamer, noteerde haar voortdurend dalende gewicht, maakte een parallel met de uitgevallen haren die ze verzamelde, hield bij op welke datum ze ophield met menstrueren enzovoort. Haar eindscriptie, waarin ze zich van commentaar onthield, werd voorgesteld in de vorm van een boekwerk met de titel *Mijn anorexia*; het bevatte alleen foto's, datums, weegresultaten, plukjes haren, tot het einde, dat in haar geval niet samenviel met de dood, maar met bladzijde honderd, want de eindscripties moesten zoveel pagina's tellen. Ze had nog net voldoende kracht om het werk te verdedigen bij haar professoren, die haar het hoogste cijfer gaven. Daarna werd ze opgenomen in het ziekenhuis. Tegenwoordig gaat het veel beter met haar, en ik sluit de mogelijkheid niet uit dat haar werk als studente daar grotendeels toe heeft bijgedragen. Anorexiapatiënten willen niet dat hun ziekte wordt veroordeeld, maar vastgesteld. Het jonge meisje had een zeer vernuftige manier gevonden om dat te doen en tegelijkertijd het lastige probleem van haar eindscriptie op te lossen.

Mutatis mutandis zou u haar voorbeeld kunnen volgen. Ik weet niet of u uw gewichtstoename tot dusver hebt gefotografeerd, maar het is niet te laat om eraan te beginnen. Noteer de getallen en alle lichamelijke en geestelijke symptomen van uw evolutie. U hebt vast nog foto's van toen u nog slank was, die zou u vooraan een plaats kunnen geven in uw schrift. U zult blijven aankomen, zo kunt u steeds indrukwekkender plaatjes schieten. Breng de delen van uw lichaam waar uw zwaarlijvigheid het best tot uiting komt in kaart. Verwaarloos echter niet de minder begunstigde zones zoals uw voeten, want ook al zijn die minder gezwollen dan uw buik of uw armen, toch moet uw schoenmaat ook groter zijn geworden.

Ziet u, Melvin, u hebt gelijk: uw zwaarlijvigheid is uw oeuvre. U surft op de golf van de moderne kunst. U moet meteen handelen, want het proces van uw gewichtstoename is net zo boeiend als het resultaat. Om ervoor te zorgen dat de hoge pieten van de bodyart bereid zijn om u in hun kring op te nemen, zou u misschien ook alles moeten noteren wat u eet. In het geval van het jonge anorectische meisje was dat hoofdstuk eenvoudiger: elke dag niets. In uw geval dreigt het langdradig te worden. Laat u niet ontmoedigen. Denk aan uw oeuvre, dat de enige bestaansreden is voor een kunstenaar.

Met vriendelijke groet,
Amélie Nothomb
Parijs, 21/04/2009

Toen ik de brief postte, wist ik niet wat mijn gemoedstoestand was. Ik zou niet in staat zijn geweest om aan te geven welk deel van mijn brief welgemeend oprecht of ironisch was bedoeld. Melvin Mapple boezemde me respect en sympathie in, maar ik had met hem hetzelfde probleem als met honderd procent van alle al dan niet menselijke wezens: grenzen trekken. Je leert iemand kennen, in levenden lijve of door te corresponderen. De eerste stap bestaat in het vaststellen van het bestaan van de andere: het kan gebeuren dat dat een moment van verwondering is. Op dat ogenblik ben je Robinson en Vrijdag op het strand van het eiland, je bekijkt elkaar, verbluft, overgelukkig dat er in dit heelal een ander bestaat die zo anders is en tegelijkertijd zo verwant. Je bestaat des te meer als de ander het vaststelt en voelt een golf van enthousiasme voor het individu dat als geroepen komt en je antwoordt. Je geeft het een fabelachtige naam: vriend, lief, kameraad, gastheer, collega, al naargelang. Het is een idylle. De afwisseling tussen gelijkheid en anders-zijn ('Helemaal hetzelfde als ik! Het tegengestelde van mij!') doet je wegzinken in verdwazing, in kinderlijke verrukking. Je bent zodanig bedwelmd dat je het gevaar niet ziet aankomen.

En plots staat de andere voor je deur. In één klap ben je ontnuchterd, je weet niet hoe je hem moet zeggen dat je hem niet hebt uitgenodigd. Het is niet dat je niet meer van hem houdt, maar je wilt dat het een ander is, dat wil zeggen iemand die je zelf niet bent. De ander komt echter naderbij alsof hij je wil assimileren of zich wil assimileren aan jou.

Je weet dat je de puntjes op de i zult moeten zetten. Je kunt op verschillende manieren te werk gaan, expliciet of impliciet. In elk geval is het een lastige periode. In meer dan twee derde van de relaties gaat het mis. Dan doen vijandigheid, misverstanden, stilte en soms haat hun intrede. De mislukkingen zijn het gevolg van kwade trouw, die aanvoert dat als de vriendschap oprecht was geweest, er zich nooit een probleem zou hebben voorgedaan. Dat is niet waar. Het is onvermijdelijk dat de crisis ontstaat. Ook al houd je oprecht veel van de ander, toch ben je niet bereid om hem thuis te ontvangen.

Het is een illusie dat je door brieven te schrijven beschermd bent tegen dat risico. Niet is minder waar. De anderen hebben massa's manieren om op je dak te vallen en zich op te dringen. Ik kan niet meer bijhouden hoeveel correspondenten me ooit vertelden dat ze handelden zoals ik, dat ze schreven zoals ik. Melvin Mapple had een bijzondere manier gevonden om zich aan mij te assimileren.

Mensen zijn landen. Het is wonderlijk dat er zoveel bestaan en dat door een eeuwige continentendrift gloednieuwe eilanden samenkomen. Maar als door de platentektoniek onbekend territorium tegen uw kust aanschurkt, ontstaat er meteen vijandigheid. Er zijn slechts twee oplossingen: oorlog of diplomatie.

Ik ben geneigd om de voorkeur te geven aan de laatstgenoemde mogelijkheid. Toch wist ik niet of mijn laatste brief aan Melvin van diplomatische aard was. Mijn behoefte om hem op te sturen haalde de bovenhand: uit zijn reactie zou ik de aard van mijn boodschap kunnen opmaken.

Een diplomatische brief is een pleonasme. Het woord 'diplomaat' is afgeleid van het oud-Griekse *diploma*, 'in tweeën gevouwen vel papier', met andere woorden een brief. Diplomatie is begonnen met correspondentie. Een brief kan inderdaad een middel zijn om zaken beleefd uit te drukken. Bijgevolg is er een historische contaminatie van de twee praktijken ontstaan: een diplomaat schrijft vaak veel brieven en in de briefschrijfkunst is een diplomatische houding gebruikelijk.

Een brief is meer dan alle andere soorten geschriften tot een lezer gericht. Ik wachtte met een vaag angstgevoel tot mijn laatste schrijven werd beantwoord. Vreemd genoeg voelde ik geen ongeduld. Het uitblijven van een antwoord zou een gepaste reactie zijn geweest.

Omdat ik mijn leven in Frankrijk moe was, ging ik een week rusten in België. Gedurende zeven dagen kende ik een onwaarschijnlijke luxe: absoluut geen brieven. Voor post geldt hetzelfde als voor alle andere zaken: overdaad is even onverdraaglijk als tekort. Ik heb meer dan mijn deel van beide uitersten gekend. Ik geloof dat ik toch de voorkeur geef aan overdaad, al neemt dat niet weg dat het ook lastig is. Een gebrek aan brieven, wat mijn lot was gedurende mijn lange puberteit, geeft een indruk van onverschilligheid, afwijzing, het vreselijke gevoel dat je een pestlijdster bent. Door overvloed word je in een poel vol piranha's gekatapulteerd die allemaal een hapje van je willen. Het exacte middelpunt, waar het aangenaam toeven moet zijn, is voor mij terra incognita.

De enige oplossing die ik voor het probleem kon bedenken, was vluchten. Het voordeel is dat je dan een geluk kunt ervaren dat de anderen niet kennen: de blijdschap om geen brief te ontvangen en de vervoering van er geen te schrijven.

Het is een zeer bijzondere vrolijke stemming, waarin een zacht duivels stemmetje voortdurend in je hoofd fluistert: 'Je bent geen envelop aan het openen die een ton weegt, je bent niet de woorden "beste dinges" aan het opschrijven, even geen briefwisseling...' Door de herhaling van het innerlijke geprevel wordt het plezier vervijftienvoudigd.

Aan alle goede dingen komt een eind. Op 29 april nam ik weer de trein naar Parijs, waar ik vanaf 30 april achter mijn bureau ging zitten. Het was bedekt met enveloppen van verschillende groottes.

Ik ademde diep in en nam plaats. Om de vijand het hoofd te bieden, heb ik een methode: ik begin met sorteren. Ik maak een onderscheid tussen onbekende en bekende afzenders, en van de laatstgenoemden leg ik de brieven waarop ik me verheug aan de linkerkant en de exemplaren die vervelend dreigen te zijn rechts. Zoals altijd sturen de verzenders van de laatste categorie enorm lange brieven. Het is een natuurwet, ook al moet ik het voor mezelf herhalen: een gewenste brief is kort, een ongewenst schrijven is lang. Je vindt hetzelfde patroon terug bij alle soorten verlangens: voortreffelijke gerechten doen het bord niet overlopen, grand cru's worden spaarzaam geschonken, beminnelijke wezens zijn slank, een tête-à-tête is de ontmoeting waar je op hoopt.

Deze regel is zo fundamenteel dat het zinloos is om eraan te tornen. Hoeveel keer heb ik aardige maar te goed van de tongriem gesneden correspondenten niet gevraagd om me niet meer dan één, aan beide zijden beschreven vel te sturen? Hoeveel keer heb ik uitgelegd dat ze zich dan van hun beste kant laten zien?

En het bleek te kloppen. Na twee of drie brieven waarin ze mijn voorkeur vriendelijk respecteerden, volgde onverbiddelijk meer, aanvankelijk een eenvoudige ansicht, later een extra vel, en ten slotte kreeg ik de dikke boterhammen die ze gewoon waren op mijn bord, zodat de envelop in een treurig lunchpakket veranderde. Het formaat en de stijl zijn zoals de mens: blijkbaar valt er niets aan te veranderen.

Ik kan het ook niet helpen dat mijn voorkeur eerder naar eenvoudige brieven uitgaat dan naar Elzasser zuurkool in de vorm van papier. Ik begin met de laatste categorie en overloop de inhoud om na te gaan of ik ze kan lezen zonder over te geven. De brieven die hun naam waardig zijn, dat wil zeggen korte specimina, houd ik voor het laatst. Dat is desserttactiek.

Op 30 april, toen ik mijn post sorteerde, herkende ik een envelop uit Irak. Ik was Melvin Mapple niet vergeten, maar had me gedurende een week geen zorgen meer gemaakt over hem. Ik voelde het mengsel van vreugde en mismoedigheid dat hij sindsdien bij me opriep. Trouw aan mijn techniek opende ik eerst alle enveloppen met een schaar. Dat kostte me een uur. Als eerste las ik de brief van de Amerikaanse soldaat:

Beste Amélie Nothomb,

Bedankt voor uw brief, die me in vervoering bracht. U hebt meer gedaan dan me begrijpen: u bezorgde me een geniaal idee. Wat is het jammer dat ik u niet ben beginnen te schrijven zodra ik in Bagdad was aangekomen! Ik zou mijn gewichtstoename van bij het begin hebben gefotografeerd en mijn zwaarlijvigheidsboek zou erg spectaculair zijn geweest. Maar u hebt gelijk, het is nog niet te laat, en ik heb nog wat foto's van de tijd dat ik vijfenvijftig kilo woog, en van toen ik tachtig kilo zwaar was, zodat het toch mogelijk is om een indruk van mijn evolutie te krijgen. Dankzij u ben ik nu vrolijk wanneer ik me 's ochtends weeg; het komt nooit voor dat ik niet ben aangekomen. Er zijn natuurlijk goede en slechte dagen: soms ben ik maar honderd gram zwaarder geworden, maar het gebeurt ook dat ik in vierentwintig uur tijd een kilo vetter ben geworden, en dat schenkt me veel voldoening.

U leek zich niet op uw gemak te voelen toen u voorstelde om alles wat ik at te noteren, maar dat was onterecht. Tegenwoordig ga ik aan tafel met mijn boekje, en u kunt zich niet voorstellen hoeveel lol ik eraan beleef om alles op te schrijven. Mijn vrienden zijn op de hoogte en helpen me, wat niet overbodig is, want je vergeet altijd wel wat, zoals een zakje chips of pinda's. Mijn kunstproject is nu van ons allemaal: ik ben niet alleen mijn eigen kunstwerk, ik ben ook het werk van mijn vrienden. Ze moedigen me aan om me vol te stoppen en fotograferen me. Ik was bang dat ze mijn idee zouden stelen en ook zakboekjes over hun eigen zwaarlijvigheid zouden bijhouden, maar ik had het bij het verkeerde eind: ze hebben er geen zin in. Ze delen mijn kunstzinnigheid niet, maar juichen die wel toe. Mijn bijnaam is Body Art. Ik ben er dol op.

Ik heb niet verzwegen dat het idee van u kwam. Dat heeft indruk op hen gemaakt. Wie anders dan u zou eraan hebben gedacht? Het volstond niet om schrijver te zijn, je moest een bepaalde schrijver zijn. Weet u, ik heb veel gelezen in mijn leven, ik heb, zoals men zegt, behoorlijk wat auteurs intensief bestudeerd door hun volledige werk te lezen, en ik kan u verzekeren: het idee is typisch Amélie Nothomb.

Bedankt. Met uw laatste brief hebt u me geholpen om mijn bestaan betekenis te geven. Ik geloof dat dat het doel van elke schrijver zou moeten zijn. U verdient het om dit mooie vak uit te oefenen. Toen ik u vertelde dat mijn zwaarlijvigheid mijn oeuvre is, dacht ik dat u me zou uitlachen. Niet alleen hebt u dat niet gedaan, u hebt me ook nog eens de mogelijkheid gegeven om mijn droom te verwezenlijken en te delen. Hoe had ik mijn gedrag aan de anderen kunnen uitleggen als u me niet had aangeraden om dat boekje bij te houden?

Het is van zeer groot belang dat mijn kunst een politieke betekenis heeft. Niets is minder gratuit dan mijn zwaarlijvigheid, die mijn engagement tot uiting laat komen in mijn lichaam: het komt erop aan om de nooit eerder geziene gruwel van deze oorlog ten overstaan van de wereld uit te drukken. Er bestaat zoiets als de zeggingskracht van de zwaarlijvigheid: mijn volume geeft een idee van de omvang van het menselijk leed in de beide kampen. Het drukt ook uit hoe onwaarschijnlijk het is om terug te keren naar iets wat kan doorgaan voor een normale toestand: als het al mogelijk is om meer dan honderd kilo te vermageren, zou het waanzinnig veel tijd en eindeloze inspanningen vergen. En hoe zie je eruit als het vet is weggesmolten? Je hebt dan vast een slappe, zwabberende huid, zoals die van een grijsaard. En dan heb ik het nog niet over het onvermijdelijke terugvallen, want je geneest niet zomaar van zo'n zware verslaving.

Alle moderne oorlogen hebben aan weerskanten onuitwisbare sporen achtergelaten; van de blijvende schade die de oorlog in Irak heeft veroorzaakt, zal zwaarlijvigheid volgens mij de meest symbolische zijn. Menselijk vet zal voor George W. Bush zijn wat napalm voor Johnson was.

Niemand zal recht worden gedaan. Maar de aanklacht moet op zijn minst worden uitgeschreeuwd. Niets helpt daarbij zo goed als een kunstwerk. Thuis in ons land zullen ik en mijn vrienden gemakkelijk een manier vinden om aandacht te krijgen van de media en, waarom niet, van de galeriehouders. Vandaar het belang om niet te vermageren. Dat komt goed uit, we waren het niet van plan.

Met oprechte groet,
Melvin Mapple
Bagdad, 26/04/2009

De brief sloeg me met verbijstering. Het begin bracht me in verlegenheid: het is onaangenaam om lof en hartelijke dankbetuigingen te krijgen als je vindt dat je die niet hebt verdiend. Mijn vorige brief was beslist niet cynisch bedoeld, maar ik herinnerde me toch de ironie. De soldaat had die zichtbaar niet begrepen. Malaise.

Daarna werd het nog erger. Hij geloofde namelijk helemaal in zijn artistieke project. Ik had me ertoe beperkt hem te vertellen over wat dat jonge anorectische meisje had gedaan; het verhaal was echt gebeurd, maar het was nooit uitsluitend een eindscriptie. Melvin Mapple leek echter geen ogenblik te twijfelen aan zijn hoedanigheid als kunstwerk en, erger nog, aan zijn aanstaande succes in die hoedanigheid. 'We zullen gemakkelijk een manier vinden om aandacht te krijgen van de media en,' – ik had zin om hem te vragen waarom hij daar zo zeker van was – 'waarom niet, van de galeriehouders'. Arme Melvin, in wat voor wereld leefde hij?! Dergelijke optimistische overtuigingen, die zo typisch zijn voor onwetenden, grepen me sterk aan.

Tot slot kwam de kers op de taart: het besluit om niet te vermageren. Ik bezorgde die bende zwaarlijvigen het excuus dat ze zochten om zich op te sluiten in hun vet. Ze zouden eraan kapotgaan. En dat zou mijn schuld zijn.

Ik herlas de brief. Mapple was helemaal aan het ijlen. 'Menselijk vet zal voor George W. Bush zijn wat napalm voor Johnson was.' De onbetamelijkheid en de dwaasheid van de vergelijking vielen op. Het vet van de soldaten had alleen betrekking op de Amerikanen en zou met hen verdwijnen, terwijl de napalm over het bezette grondgebied was uitgestort en het bestaan van burgers nog lang zou verzieken.

Als Melvin een kunstenaar was, had ik hem een eigenschap ontnomen die van essentieel belang is voor de kunst: de twijfel. Een kunstenaar die niet twijfelt, is een even ondraaglijk individu als een verleider die denkt dat de buit al binnen is. Achter elk kunstwerk gaat een enorme pretentie schuil, die erin bestaat dat men zijn wereldbeeld tentoonstelt. Als een dergelijke arrogantie niet wordt gecompenseerd door de kwelling van de twijfel, krijg je een monster dat zich tot kunst verhoudt zoals een fundamentalist tot zijn geloof.

Tot mijn verontschuldiging dient te worden gezegd dat hoewel het geval Mapple nergens mee viel te vergelijken, het niet zelden gebeurde dat mensen me voorbeelden van hun werk stuurden: een bladzijde tekst, een tekening, een cd. Als ik de tijd had, antwoordde ik eenvoudig wat ik erover dacht. Het is altijd mogelijk om oprecht te zijn zonder naar te doen. Maar wat Melvin me had voorgelegd, was zijn eigen lichaam. Hoe kon ik me daarover uitdrukken met de ongedwongenheid die ik zocht?

Ik verwierp de inhoud van wat ik hem had geschreven niet. Het schoentje knelde ergens anders: de soldaat rekende voortaan op publieke erkenning van zijn kunst.

Ik besloot me pragmatisch op te stellen en de situatie te relativeren. Uiteindelijk zou Melvin Mapple niet de eerste kandidaat zijn om de confrontatie met de harde realiteit van de kunstmarkt aan te gaan. Als hij zin had om het erop te wagen, waarom zou ik hem dat dan uit het hoofd praten? Er was geen enkele reden om me zijn toekomstige teleurstelling zo hard aan te trekken. Door de huidige situatie zou hij nog lang in Bagdad blijven, en hij was vast niet zo stapelgek dat hij Iraakse galeriehouders zou benaderen. Wanneer hij zou terugkeren naar de Verenigde Staten, zou hij nog altijd genoeg tijd hebben om zich met zijn project bezig te houden, als hij het tenminste inmiddels nog niet had opgegeven. Nadat ik wat was gekalmeerd, schreef ik hem het volgende:

Beste Melvin Mapple,

Het doet me plezier om te zien dat u zo enthousiast bent, maar zorgt u toch goed voor zichzelf. U hebt het niet meer over Sheherazade. Hoe maakt ze het? Ik houd mijn brief kort, want ik heb veel vertraging met het beantwoorden van post.

Met vriendelijke groet,
Amélie Nothomb
Parijs, 30/04/2009

Ik postte de brief met de voldoening van iemand die de juiste toon heeft gevonden, de ideale afstand tussen gereserveerdheid en enthousiasme. Als de soldaat zijn twijfel had verloren, was het omdat hij daar op natuurlijke wijze toe geneigd was: het was absurd om mezelf daarvoor te veroordelen, en typisch voor mijn neiging om alle schuld in het heelal op mij te laden.

Niets is zo goed om op andere gedachten te komen als het lezen van de brief van een onbekende: ik ontdekte het bestaan van een actrice uit de wijk Saint-Germain-des-Prés die me op 23 april had geschreven. Ze zei dat ze me op 15 april had zien huilen in metrostation Odéon. Het schouwspel had haar van streek gebracht, maar toch had ze het niet aangedurfd om met me te komen praten. Het was de eerste keer dat ze me zag en dat was het beeld dat ze van me had. Ze voelde zich nauw verwant met me en vroeg me om een tekst voor haar te schrijven die ze op de bühne zou brengen en die het verdriet zou overstijgen. Enkele foto's zetten haar verzoek kracht bij.

Ik ging helemaal op in het bestuderen van de foto's, wat niet wegnam dat ik me afvroeg wat die tranen van 15 april in station Odéon te betekenen hadden: wat had me overvallen dat ik daar was gaan huilen? Ik peilde mijn herinneringen, op zoek naar een oorzaak van vertwijfeling half april, toen het plots zonneklaar werd: de huilebalk die ze in de metro had gezien, was ik niet. De actrice had me herkend in een onbekende die in station Odéon zat te snikken. Om duistere redenen had ze zich mij zo voorgesteld. De derderangspsychoanalytica die in me sluimert, suggereerde dat de vrouw van Saint-Germain-des-Prés haar eigen betraande gezicht had gezien in een spiegelende ruit toen het metrostel voorbijreed in station Odéon, en omdat ze haar eigen identiteit niet kon herkennen, had ze die toegewezen aan een ectoplasma dat ze mijn naam had gegeven.

Waarom ik? Weet ik veel. Ik zal eens iets schrijven dat ernstig en waar is: ik ben het poreuze wezen dat mensen een allesoverheersende rol laten spelen in hun leven. We hebben allemaal een narcistische kant en ik zou het aangenaam vinden om zulke terugkerende fenomenen te verklaren door mijn buitengewone kant, maar er is niets buitengewoons aan mij, behalve die ellendige poreusheid waarvan ik vermoed dat ze de ravage heeft veroorzaakt. Mensen voelen dat ik de ideale bodem ben voor hun geheime tuinen; Melvin Mapple heeft in mij de grond gevonden om zijn artistieke wanen mee te voeden, de actrice plengt haar onoprechte tranen in mijn moestuin, waar waterlanders ontkiemen, u hebt er geen idee van hoe gigantisch veel zaadjes de massa op mijn persoonlijke terrein gooit. Het ontroert me zonder dat ik er blij van word, want ik weet welke verantwoordelijkheid men mij in de schoenen schuift wanneer dergelijke persoonlijke projecten, waarvan ik de aard niet ken, mislukken.

Ik zou de actrice ongeveer een maand later terugschrijven, dat is mijn gewoonlijke termijn, die ik ook in het geval van Melvin Mapple beter in acht had genomen. Massa's en massa's brieven. Laat het duidelijk zijn: ik ben er dol op. Ik vind het heerlijk om brieven te lezen en te schrijven, vooral met sommige mensen. Alleen moet ik soms afkicken om het briefschrijven beter te appreciëren.

Hoe moet je reageren als een veertigtal brieven je aandacht opeisen? Door te sorteren. Ik zou bijvoorbeeld niet de vijfendertig vellen lezen die ik had ontvangen van een lerares Frans die op me rekende om haar huiswerk te verbeteren. 'Mijn leerlingen hebben uw boek gelezen, u staat dus bij hen in het krijt', schreef de onderwijzeres, voor wie dergelijke aberraties steek hielden.

Na de middag dronk ik een Grimbergen terwijl ik me volzoog met de inhoud van de talrijke brieven die ik voor het laatst had bewaard. Ik smaakte het plezier van mijn herstelde eetlust. De honger naar brieven is een kunst waarin ik wil uitblinken.

De volgende dag vonden er meerdere gebeurtenissen van planetair belang plaats waarover de kranten niet berichtten. Ze schreven terecht over een pandemie: de pers beslist altijd terecht om in actie te treden, maar kiest haar onderwerpen slecht. Er heerste inderdaad een epidemie, maar een die grote en mooie risico's met zich meebracht en een goede afloop zou kennen.

Het leven ging weer zijn gewone Parijse gang. Onder het bewind van Lodewijk XIV verscheen *De prinses van Clèves*: het absolute toppunt van verfijning, ondanks het absolutistische gezag. In het boek wordt een verhaal verteld dat honderdtwintig jaar eerder zou hebben plaatsgevonden. Niemand merkt dat gigantische tijdverschil nog op. De amper voelbare kloof geeft aan dat het een meesterwerk is. Voor Chinezen die in Frankrijk wonen is het niet vreemder dan voor mij. Ik raak nog steeds in vervoering over dit land, dat meer dan ooit hetzelfde is als in *De prinses van Clèves*.

Ik berekende dat Melvin Mapple mijn brief zou ontvangen op 4 mei. Het hield me niet obsessief bezig. Dat is de juiste houding. Als je in gedachten het traject van een brief volgt, zal die op de een of andere manier niet aankomen. Je moet de ontvanger zijn werk laten doen. De ervaring leert dat geen enkele brief wordt geïnterpreteerd zoals je het had gedacht; het is dus beter om je er niets bij voor te stellen.

Ik ben al veel langer briefschrijfster dan auteur en zou waarschijnlijk geen schrijfster zijn geworden - in elk geval niet deze schrijfster - als ik niet eerst zo'n fervente briefschrijfster was geweest. Vanaf de leeftijd van zes jaar schreef ik elke week onder dwang van mijn ouders een brief aan mijn grootvader langs moederskant, een onbekende die in België woonde. Mijn oudere broer en zus dienden zich aan dezelfde leefregel te houden. We moesten allemaal een A4'tje ter attentie van die meneer met woorden vullen. Hij antwoordde met een bladzijde aan elk kind. 'Vertel wat je op school hebt meegemaakt', stelde mijn moeder voor. 'Dat zal hem niet interesseren', antwoordde ik snedig. 'Het hangt ervan af hoe je het beschrijft', legde ze uit.

Dat kostte me heel wat hoofdbrekens. Het was een nachtmerrie, nog erger dan huiswerk. Op het lege blad moest ik zinnen schrijven die mijn verre grootvader zouden kunnen interesseren. Alleen op die leeftijd heb ik last gehad van writer's block, maar het heeft jaren van mijn kindertijd aangesleept, met andere woorden eeuwen.

'Geef commentaar op wat hij je schrijft', raadde mijn moeder me op een dag aan toen ze me zag zwoegen. Commentaar geven betekende de woorden van de andere omschrijven. Bij nader inzien was dat wat grootvader deed: in zijn brieven gaf hij commentaar op de mijne. Dat was zo gek niet. Ik deed hem na. Mijn brieven waren commentaren op zijn commentaar. Enzovoort. Het was een bizarre en duizelingwekkende dialoog, maar geen oninteressante. De natuur van de briefschrijfkunst drong tot me door: het waren geschriften die voor anderen waren bestemd. Romans, gedichten enzovoort waren schrijfsels waar anderen toegang toe konden krijgen. Een brief bestond echter niet zonder de andere en had de verschijning van de ontvanger als betekenis en opdracht.

Net zoals het niet volstaat om een boek te schrijven om schrijver te zijn, volstaat het niet om brieven te schrijven om briefschrijver te zijn. Ik krijg zeer vaak berichten waarin de afzender is vergeten of nooit heeft beseft dat hij zich tot mij of iemand anders richtte. Dat zijn geen brieven. Het gebeurt ook dat ik iemand een brief schrijf en die me een antwoord stuurt dat er geen is, niet omdat ik een vraag zou hebben gesteld, maar omdat niets in diens bericht erop wijst dat hij het mijne heeft gelezen. Dat is geen brief. Het is natuurlijk niet iedereen gegeven om ad rem te zijn, maar dat neemt niet weg dat je het kunt leren en dat veel mensen er baat bij zouden hebben om het te leren.

Beste Amélie Nothomb,

Bedankt voor uw bemoedigende woorden van 30 april. Het gaat goed met Sheherazade, maakt u zich geen zorgen. Als ik u niet meer over haar vertel, komt dat omdat er niets is veranderd op dat gebied.

We hebben nieuws gekregen van enkele soldaten die twee maanden geleden naar huis zijn teruggekeerd. Het is verontrustend. De psychologische en lichamelijke kwalen waar ze hier aan leden zijn helemaal niet afgezwakt, maar nog erger geworden. Artsen houden toezicht op hen en lichten hen in over hun reclassering: ze zouden geen ander woord gebruiken als we uit de gevangenis kwamen. En het lijkt erop dat de reclassering van ex-bajesklanten vlotter gaat. Zij zijn minder vervreemd dan wij.

Niemand is zo gek dat hij terug wil naar Irak, maar die jongens zeggen dat ze geen leven meer hebben in de VS. De ellende is dat ze nergens anders naartoe kunnen. Het probleem is trouwens niet de locatie. Ze zeggen dat ze niet meer weten hoe ze moeten leven, dat ze niet meer kunnen leven. Zes oorlogsjaren hebben al het voorafgaande uitgewist. Dat begrijp ik.

Ik geloof dat ik u al meerdere keren heb geschreven dat ik wilde terugkeren naar Amerika. Tegenwoordig besef ik dat ik dat zei alsof het voor zichzelf sprak, maar dat ik er nooit echt over had nagedacht. Wat zal ik thuis aantreffen? Niets of niemand, behalve het leger. Mijn ouders schamen zich voor mij. Ik ben het spoor bijster van wie ooit mijn vrienden waren, in de veronderstelling dat het delen van ellende kan doorgaan voor een vriendschap die naam waardig. En we mogen een detail niet vergeten: mijn gewicht. Heb je nog zin om iemand terug te zien als je honderddertig kilo bent aangekomen? Honderddertig kilo! Als ik honderddertig kilo woog, zou ik al zwaarlijvig zijn. Wel, ik weeg geen honderddertig kilo, ik ben honderddertig kilo dikker geworden! Het is alsof ik drie personen ben geworden.

Ik heb een gezin gesticht. Sheherazade en ik, we hebben een kind gekregen. Het zou alleraardigst zijn als ik niet in mijn eentje dat gezin belichaamde. Dag jongens, ik stel jullie mijn vrouw en kind voor, ze zitten lekker op een warme plek, daarom kunnen jullie hen niet bewonderen, ik vond het beter om hen in mijn lijf te bewaren, dat is intiemer, het is ook gemakkelijker om hen te beschermen en te voeden, ik begrijp niet waarom dat jullie verbaast, er zijn vrouwen die hun kinderen de borst geven, ik heb beslist om mijn gezin van binnenuit te voeden.

Kortom, voor de eerste keer ontdek ik dat ik geen zin heb om naar huis terug te keren. Ik haat het om hier te zijn, maar op deze plek heb ik nog een leefomgeving en omgang met andere mensen. En bovendien weten ze in Irak wie ik ben. Ik wil niet geconfronteerd worden met de gelaatsuitdrukking van mijn ouders als ze me zien, ik wil niet horen wat ze zullen zeggen.

Mijn artistieke project is nog maar eens mijn redding. Ik kan u daar nooit genoeg voor bedanken. Het is het enige restje waardigheid dat ik nog heb. Denkt u dat mijn vader en moeder begrip zullen tonen? Nu ja, ik zou me dat niet moeten afvragen. Je bent geen kunstenaar om door je ouders te worden begrepen. Wat niet wegneemt dat ik eraan denk.

Ik ben bang dat ze me zullen uitlachen. Als ik een agent of iets dergelijks had, zou ik me minder belachelijk voelen. U was niet lang geleden in de Verenigde Staten. Hebt u daar soms mensen ontmoet die me zouden kunnen helpen? Kent u soms een kunstgalerie in New York of Philadelphia? Of een invloedrijke persoon bij de *New York Times*? Sorry dat ik u ermee lastigval. Ik weet niet aan wie anders ik het moet vragen.

Met oprechte groet,
Melvin Mapple
Bagdad, 4/05/2009

Ik richtte mijn ogen ten hemel. De soldaat was niet zomaar de tweeduizend vijfhonderdste die zich inbeeldde dat ik deel uitmaakte van een wereldwijd publicrelationsnetwerk dat op elk gebied actief was. Zoveel mensen zien in mij de door de Voorzienigheid gezonden persoon die hen kan introduceren in de meest elegante milieus of voorstellen aan onbereikbare wezens. Een brave Belgische zuster schreef me op een dag om te vertellen dat ze Brigitte Bardot wilde ontmoeten. Niet alleen leek haar verzoek haar doodnormaal, in de ogen van de non was het ook vanzelfsprekend dat ze met mij contact opnam om haar droom te verwezenlijken. (Ik kreeg al brieven van mensen die me verzochten om hen aan te bevelen bij Amélie Mauresmo, Sharon Stone en Jean-Michel Jarre. Wist ik maar waarom.)

Het irriteert me dat ze me zo'n adresboekje toedichten; het verbijstert me dat ze me voortdurend enorme diensten vragen. Ik zou zelf niet zulke dingen durven te vragen aan onverschillig wie; ik zou het zelfs niet in mijn hoofd halen. Het getuigt van bijzonder slechte smaak om te doen alsof iets onschuldigs als een lezersbrief bedoeld is voor arbeidsbemiddeling of cliëntelisme.

Ik mocht Melvin Mapple wel, ik vond hem anders. Het bedroefde me diep dat hij zulke ordinaire manieren kreeg. Hij zei tenminste nog dat het hem speet om me ermee lastig te vallen. Het was eens wat anders dan sommige verbijsterende uitlatingen als: 'Ik dacht dat het u zou afleiden om me te helpen', of als deze, die even onvervalst is: 'Me helpen met mijn plan zou uw leven zin kunnen geven.' Toen mijn slechte stemming was overgewaaid, werd ik me bewust van het verontrustende karakter van de brief. De soldaat gaf me te kennen dat hij zou weigeren om terug te keren naar de Verenigde Staten als zijn kunstenaarschap niet werd erkend. Had hij dat recht? Gelukkig had ik de indruk van niet. Maar vanaf welk ogenblik zou hij zichzelf als een erkend kunstenaar beschouwen? Ik heb gemerkt dat de criteria inzake erkenning enorm variëren van individu tot individu. Sommigen beschouwen zichzelf als erkende artiesten omdat de buurman het heeft gezegd; voor anderen volstaat afgezien van de Nobelprijs niets als erkenning. Ik hoopte dat Melvin Mapple tot de eerstgenoemde categorie zou behoren.

Ik was eerst van plan geweest om zijn verzoek te weigeren, maar opeens vatte ik de situatie wat grappiger op. In Amerika kende ik niemand in artistieke kringen. In Europa kende ik wat galeriehouders in Parijs en Brussel. Parijzenaars zouden moeilijk warm te maken zijn voor zoiets excentrieks, net zoals de meeste Brusselaars, maar ik dacht aan een schimmige galerie (eerder een café dan een galerie, eerlijk gezegd) in de Marollen; de baas was een vriend van me die Cullus heette. Ik belde hem meteen op en legde hem uit dat hij een belangrijke zaak kon dienen: een in Bagdad gelegerde Amerikaanse soldaat deed het tegengestelde van een hongerstaking, laten we het een verzadigingsstaking noemen, als protest tegen de militaire invasie in Irak, en hij beschouwde zijn zwaarlijvigheid als een soort van geëngageerde bodyart. Qua erkenning ontbrak het hem nog enkel aan de steun van een kunstgalerie op deze planeet. Niet meer dan een formaliteit, want het sprak helaas voor zich dat de soldaat zich niet in zijn volle omvang zou kunnen tentoonstellen in Brussel. Hij had de naam van een galerie nodig voor zijn zaak, zoals een schrijver de naam van een uitgever nodig heeft om te voelen dat hij bestaat. Cullus aanvaardde het voorstel enthousiast en vroeg me de naam van de soldaat te spellen, zodat hij hem aan zijn catalogus kon toevoegen. Ik gehoorzaamde aan zijn verzoek, terwijl ik mijn lach onderdrukte, want de catalogus in kwestie was een bord waarop de bierkaart aan de linkerkant en de kunstenaarslijst aan de rechterkant stond. Cullus vroeg me om hem een foto van Mapple te sturen voor zijn knipselboek en we namen afscheid.

Opgetogen schreef ik de Amerikaan:

Beste Melvin Mapple,

Ik ken geen galeriehouders in uw land, maar wel in het mijne. Uitstekend nieuws: de befaamde galerie Cullus te Brussel heeft met plezier ingestemd om u aan haar catalogus toe te voegen. Ik vermoed dat u onmogelijk daarheen zult kunnen gaan, ook al zou Cullus het vast heerlijk vinden om u te ontmoeten en tentoon te stellen. Het doet er niet toe, wat telt is dat u zich er vanaf nu op kunt laten voorstaan dat u een galeriehouder hebt, waardoor u officieel een kunstenaar bent. Is het niet prachtig? U zult met opgeheven hoofd kunnen terugkeren naar de Verenigde Staten, zonder dat u zich moet schamen over uw zwaarlijvigheid, u kunt er zelfs trots op zijn, want ze wordt erkend als uw oeuvre.

Ik geloof dat ik begrijp hoe moeilijk of zelfs onmogelijk het is om terug te keren naar de VS. Maar het probleem is voortaan groter voor uw vrienden dan voor u. Ik beweer niet dat uw leven een sprookje zal worden, maar u zult tenminste het eerherstel krijgen dat de soldaten over wie u me hebt verteld zo vreselijk missen. Bravo!

Met vriendelijke groet,

Amélie Nothomb

Parijs, 9/05/2009

De zaak maakte me goedgehumeurd. Ik sta er trouwens op om duidelijk te zeggen dat ik het helemaal niet cynisch of zelfs ironisch had bedoeld. Cullus van de Marollen was niet Perrotin van de Marais, maar toch was hij een galeriehouder die naam waardig. Ik had zijn galerie 'befaamd' genoemd omdat ze inderdaad bekend was in Brussel. En ik vond er niets onterends aan dat ze vooral bier verkocht: er zijn nu eenmaal meer bierdrinkers dan kopers van hedendaagse kunst. Als ik zelf naar Cullus ga, is het voor het witbier, maar terwijl ik dat achteroversla, maak ik van de gelegenheid gebruik om te kijken wat hij tentoonstelt; ik kijk trouwens met een veel intensere blik naarmate ik meer geniet van het drinken.

Ik weet dat alle andere kunstgaleriehouders Cullus als een nar beschouwen die niets met hun gilde te maken heeft. Ik deel die mening niet, en Melvin Mapple zou ze zonder twijfel evenmin delen. Ik ervoer dus het tevreden gevoel van iemand die twee voor elkaar voorbestemde wezens met elkaar in contact heeft gebracht.

Plots herinnerde ik me dat ik een detail was vergeten. Blij omdat ik de envelop niet had gesloten, voegde ik er dit PS aan toe:

Galeriehouder Cullus zou graag een foto van u ontvangen, zoals u er nu uitziet. Bezorgt u die aan mij, ik zal hem doorsturen.

Het was zaterdag, ik haastte me om de brief te posten voordat de brievenbus 's middags werd gelicht.

Een week later kreeg ik een Hongaarse student van de universiteit van Boedapest op bezoek die een proefschrift aan me wijdde; hij sprak een bijzonder vreemd Frans dat me de aangename indruk gaf dat ik uit Vojvodina kwam of archimandriet was. De Oostbloklanden zijn uitstekend voor het ego, dat heb ik al vaak gemerkt.

Ik ontmoette een jonge, getalenteerde romanschrijfster die ik al jaren wilde leren kennen. Helaas stond ze zodanig stijf van de Xanax dat de communicatie erdoor werd bemoeilijkt. Terwijl ze tegenover me zat, voelde ik dat mijn woorden meerdere werelden moesten doorkruisen om haar hersenen te bereiken. Uiteindelijk verantwoordde ze zich:

'Ik slaag er niet in om mijn doses kalmeermiddelen te verminderen.'

'Is dat niet gevaarlijk?' vroeg ik, beseffend hoe stompzinnig mijn vraag was.

'Natuurlijk. Ik kan niet zonder. Hoe speelt u het klaar om al die druk te verdragen?'

'Ik weet het niet.'

'Vindt u het niet vreselijk stresserend om romanschrijfster te zijn?'

'Toch wel. Ik heb verschrikkelijk veel stress.'

'Waarom neemt u dan geen kalmeermiddelen? Denkt u dat lijden noodzakelijk is of zo?'

'Nee.'

'Waarom aanvaardt u dan om te lijden?'

'Ik geloof dat ik mijn hersenen niet wil beschadigen.'

'U denkt dus dat ik de mijne beschadig?'

'Ik heb er geen flauw idee van.'

'Denkt u niet dat uw leed uw hersenen meer beschadigt?'

'Laten we niet overdrijven. Schrijven is in de eerste plaats toch een genot. Het leed wordt veroorzaakt door het angstgevoel dat ermee samenhangt.'

'Daarom zijn kalmeermiddelen noodzakelijk.'

'Dat weet ik niet zeker. Zonder angst is er geen plezier.'

'Toch wel. Probeer eens plezier te beleven zonder angst.'

'Hebt u een contract gesloten met de farmaceutische industrie?'

'Goed. Wees maar angstig, als u dat fijn vindt. Ik stel vast dat u mijn vraag niet hebt beantwoord. Hoe verdraagt u de stress?'

'Slecht.'

'Dat is al beter.'

Ze was grappig. Hoewel ik sympathie voor haar voelde, besefte ik dat ik liever een brief van haar had gekregen dan bezoek. Is dat ziektebeeld het gevolg van de overheersende rol van brieven in mijn leven? Ze zijn zeldzaam, de personen van wie ik het gezelschap meer op prijs stel dan een brief van hun hand, als ze tenminste een minimum aan briefschrijftalent bezitten. Volgens de meeste mensen geef ik met die vaststelling mijn zwakheid of gebrek aan energie toe, mijn onvermogen om de werkelijkheid te trotseren. 'U houdt niet van mensen in het echt', hebben ze al tegen me opgemerkt. Ik verzet me daartegen: waarom zouden mensen noodzakelijkerwijs echter zijn in levenden lijve? Waarom zou hun ware aard niet beter, of eenvoudigweg anders tot uiting komen in een brief?

De enige zekerheid is dat het afhangt van de mensen. Er zijn personen die je beter kunt ontmoeten en andere van wie je beter een brief kunt lezen. In ieder geval, zelfs als ik zoveel van iemand houd dat ik met hem samenwoon, voel ik ook de behoefte dat hij me schrijft: een band komt me pas volwaardig voor als hij voor een gedeelte uit briefwisseling bestaat.

Er zijn mensen die ik enkel ken door met hen te corresponderen. Ik ben natuurlijk nieuwsgierig om hen te ontmoeten, maar het is helemaal niet noodzakelijk. En een treffen zou niet onschadelijk zijn. In die zin geldt ook voor briefwisseling deze belangrijke literaire vraag: moet je schrijvers ontmoeten?

Er bestaat geen antwoord, want er zijn er te veel. Het lijdt geen twijfel dat sommige schrijvers hun oeuvre ernstige schade toebrengen. Ik heb met mensen gepraat die Montherlant hadden ontmoet en daar spijt van hadden: een man vertelde me dat hij na een kort gesprek met de auteur nooit meer in staat was geweest om het oeuvre dat hij bewonderde te lezen omdat hij zo'n afkeer had van de persoon. Toch kreeg ik ook al te horen dat het proza van Giono nog mooier werd als je het geluk had gehad hem te ontmoeten. En dan zijn er die schrijvers die je nooit zou hebben gelezen als je ze niet had ontmoet, zonder de talrijkste soort te vergeten: de auteurs van wie de aanwezigheid ons even onverschillig laat als hun boeken.

Wat correspondenten betreft ontbreekt het evenzeer aan wetmatigheden. Van nature ben ik echter geneigd om hen niet te ontmoeten, niet zozeer uit voorzichtigheid als om de grandioos verwoorde reden in een voorwoord van Proust: tijdens het lezen kan men de andere ontdekken en tegelijkertijd de diepzinnigheid behouden die men uitsluitend kan bereiken wanneer men alleen is.

En ik vond inderdaad dat de jonge romanschrijfster het zou hebben verdiend om me te leren kennen in mijn interessantere toestand: als ik alleen was. Het omgekeerde gold eveneens: haar farmaceutische bekeringsijver had me wat getraumatiseerd.

Toen de nieuwe brief van de Amerikaan aankwam, was ik al vergeten dat ik hem een foto had gevraagd. Die viel me rauw op mijn dak: er stond een naakt, onbehaard ding op, zo gigantisch dat het over de rand ging. Het was een uitdijende zwelling: je voelde dat het vlees voortdurend op zoek was naar nieuwe mogelijkheden om zich uit te breiden, te zwellen, terrein te winnen. De verse blubber moest continenten van vetweefsel doorkruisen voordat het aan de oppervlakte kon komen, waar het aankoekte als bardeerspek om als grondlaag voor nieuw vet te dienen. Het was alsof de leegte werd veroverd door de zwaarlijvigheid, door gewichtstoename werd het niets geannexeerd.

Het geslacht van het gezwel viel niet te onderscheiden. Terwijl het individu zich staande hield voor de lens, hielden zijn omvangrijke vetrollen zijn geslachtsdelen verborgen. De gigantische borsten gaven de indruk dat het een vrouw was, maar ze verdronken tussen zoveel andere plooien en uitstulpingen dat ze er niet uitzagen als memmen, maar zwembanden werden.

Ik had enige tijd nodig om me te herinneren dat die woekering menselijk was en meer bepaald mijn correspondent, soldaat der tweede klasse Melvin Mapple. Ik heb vaak genoeg het altijd verbazingwekkende gevoel ervaren dat je krijgt wanneer je een gezicht kunt plakken op een handschrift: in het geval van de soldaat zou het moeilijk worden om het door het vet ingepalmde gezicht van zijn lichaam te scheiden. Hij had al geen hals meer, want de vernauwing die het hoofd met de romp moest verbinden, liet zich niet meer kenmerken door de relatieve smalheid waarmee het segment kan worden geïdentificeerd. Ik bedacht me dat het onmogelijk zou zijn om de man te guillotineren of zelfs om hem gewoon een das te doen dragen.

Zoals ik hem zag, had Melvin Mapple nog gelaatstrekken, maar die vielen niet meer te beschrijven: je kon niet zeggen of hij een haak- of een wipneus had, of zijn mond groot of klein was, of zijn ogen zus of zo waren; je kon wel zeggen dat hij een neus, een mond en ogen had, en dat was al heel wat; dat gold niet voor zijn kin, die allang verdwenen was. Je voelde benauwd aan dat er een moment zou komen waarop ook de basisonderdelen zouden wegzinken en niet meer zichtbaar zouden zijn. En je vroeg je af hoe die mens dan zou ademen, spreken en zien.

Zijn ogen deden denken aan de verzonken knopen van een gecapitonneerde fauteuil: al waren het zogezegd de spiegels van zijn ziel, je kon er niets anders in lezen dan een inspanning om zich een weg naar de buitenwereld te banen. De neus, een komma van kraakbeen in een oceaan van vlees, bewaakte zijn vleugels als een kostbare schat: op een dag zou het stopcontact worden verzwolgen door het vetmetselwerk. Hopelijk zou het individu dan kunnen ademen door zijn mond, die het ongetwijfeld tot het einde zou uithouden, aangespoord door de overlevingsdrang der moordenaars.

Het was inderdaad onmogelijk om te kijken naar wat er overbleef van de mond zonder eraan te denken dat die verantwoordelijk was, dat het die minuscule opening was die doorgang had verleend aan de invasie. We weten allemaal dat de hersenen de touwtjes in handen hebben, maar als we een beeldhouwer ontmoeten, kijken we toch naar zijn handen, als we met een parfumeur omgaan, loeren we naar zijn neus, en de benen van een danseres benevelen ons meer dan haar hoofd. Ook al waren Melvin Mapples lippen de pioniers van de verstikkende expansie in de ruimte, het waren zijn tanden die vrijwillig zoveel voedsel hadden gekauwd. Het was een fascinerende mond, zoals de grote moordenaars uit de geschiedenis fascineren.

Ik had de man leren kennen door met hem te corresponderen. Zijn vingerkootjes leken microscopisch klein aan de uiteinden van zijn hypertrofische armen en ik schatte hoezeer de vetmassa hem moest hinderen bij het schrijven. Zijn woorden hadden zoveel vlees moeten doorkruisen om me te bereiken. De afstand tussen Irak en Frankrijk leek me minder enorm dan die tussen de hersenen en de hand van de soldaat.

De hersenen van Melvin Mapple: hoe zou je er niet bij kunnen stilstaan? De grijze cellen bestaan hoofdzakelijk uit vet; in geval van buitensporig gewichtsverlies is er hersenschade. Wat gebeurt er in het omgekeerde geval? Wordt het brein groter, of gewoon nog vetter? Zo ja, hoe worden de gedachten erdoor beïnvloed? De intelligentie van Churchill of Hitchcock had niet geleden onder de zwaarlijvigheid van de bezitter, dat klopt, maar het lijdt geen twijfel dat het meesjouwen van zoveel gewicht op de een of andere manier je geestelijke toestand beïnvloedt.

Het was de eerste keer dat het zo lang duurde voordat ik las wat hij me had geschreven:

Beste Amélie Nothomb,

Bedankt voor het grote nieuws dat u me aankondigt! Ik ben dolgelukkig dat de vermaarde galerie Cullus in Brussel me heeft toegevoegd aan de catalogus en ik besef wat ik u daarvoor te danken heb. Ik heb iedereen hier al op de hoogte gebracht; het is een belangrijke gebeurtenis. Als bijlage stuur ik u een foto.

Ik voel me voortaan een erkend kunstenaar. In die hoedanigheid voel ik niet de minste gêne om u de foto te tonen. Anders zou ik me te diep schamen om u mijn uiterlijk te laten ontdekken. Nu houd ik mezelf voor dat het kunst is, en ik ben dan ook trots.

Ik hoop dat de foto geschikt is, hij dateert van twee weken geleden. Betuig de Belgische galeriehouder mijn erkentelijkheid. Nogmaals bedankt.

Met oprechte groet,
Melvin Mapple,
Bagdad, 14/05/2009

Zo'n houding was erg Amerikaans: alles liep gesmeerd als het maar officieel en duidelijk was. De bekendmaking van het fenomeen deed zelfs de mogelijkheid van enige gêne verdwijnen. Ook al stelde ik het op prijs dat Melvin helemaal geen complexen had, toch voelde ik me ondanks alles een beetje ongemakkelijk bij het vertoon.

En ik verweet mezelf mijn overdreven Europese schaamtegevoel. Tenslotte was hij tevreden, dat was het belangrijkste.

Toch kon ik het niet laten om het beeld met zijn schrijven te vergelijken: in mijn linkerhand hield ik de foto, in mijn rechter de brief. Mijn ogen gleden heen en weer alsof ik mezelf ervan wilde overtuigen dat de menselijke boodschap wel degelijk van die pudding kwam en dat alle brieven die me de afgelopen maanden hadden ontroerd afkomstig waren van deze kolos. De gedachte bracht me tot vertwijfeling, waardoor ik ging blozen. Om er een eind aan te maken, stopte ik de foto in een envelop, schreef er Cullus' adres op en stak er een briefje bij om uit te leggen dat het de nieuwe kunstenaar was over wie we hadden gesproken.

Ik beantwoordde de brief van de Amerikaan niet meteen. Ik hield me voor dat ik op een reactie van de galeriehouder wachtte. In werkelijkheid was ik van mijn stuk gebracht door het uiterlijk van de zwaarlijvige amoebe. Ik voelde me niet in staat om meteen de beleefde toon van onze briefwisseling te hervatten: 'Bedankt, beste Melvin, voor de alleraardigste foto...' Nee, er waren grenzen aan beleefdheid. Ik nam het mezelf wat kwalijk dat ik zo overgevoelig was, maar ik kon het niet helpen.

Aangezien ik nog heel wat achterstallige post had liggen, schreef ik mensen met een normale lichaamsbouw. Om de herinnering aan de foto uit te wissen, vulde ik mijn belastingaangifte in: geestdodende klussen helpen om je leven aan te kunnen, dat heb ik al vaak gemerkt.

Die dag kreeg ik ook een brief van P. met de vraag om een voorwoord te schrijven. Er gaat geen dag voorbij dat ik niet minstens een dergelijke brief krijg. Net om die reden weiger ik stelselmatig. Het neemt niet weg dat de mensen mijn bestaan lichter zouden maken indien ze me hun voortdurende smeekbeden bespaarden; als ze geen voorwoord willen, vragen ze me wel om hun manuscript te lezen of verwachten ze dat ik hun leer schrijven.

Het feit dat ik mijn brieven beantwoord, veroorzaakt grote verwarring en foute, tegenstrijdige interpretaties. De eerste bestaat erin dat het een vorm van marketing is die ik zou hebben ontwikkeld. De cijfers zijn nochtans duidelijk: ik heb honderdduizenden lezers, en zelfs door brieven te schrijven als de bezetene die ik ben, ben ik nooit verder gekomen dan tweeduizend correspondenten, wat al waanzinnig veel is. De tweede is tegenovergesteld: ik leid een liefdadigheidsorganisatie. Het gebeurt niet zelden dat ik brieven krijg waarin men mij onomwonden om geld vraagt, niet van charitatieve instellingen, maar van de man of vrouw in de straat, en meestal zit er een verklaring bij: 'Ik zou een boek willen schrijven. U weet wat dat betekent, ik moet dus stoppen met werken, en ik bulk niet van het geld.' Er zijn nog andere interpretaties: uit gebrek aan inspiratie voor de onderwerpen van mijn romans gebruik ik de bekentenissen van mijn correspondenten, of ik ben op zoek naar sekspartners, of ik brand van verlangen om te worden bekeerd tot een of andere godsdienst, of tot het internet. Enzovoort.

De waarheid is zowel eenvoudiger als mysterieuzer, zelfs voor mij. Ik weet niet waarom ik mijn post beantwoord. Ik zoek niets of niemand. Ik stel het weliswaar op prijs dat mensen het over mijn boeken hebben, maar dat is lang niet het enige onderwerp van de brieven die ik ontvang. Als een briefwisseling in aangename zin evolueert – en godzijdank komt dat voor – is me het ongrijpbare geluk gegund te voelen dat ik iemand een beetje ken, een menselijke boodschap ontvang. Je hoeft geen gebrek te hebben aan zulke contacten om ervan te houden.

Tot enkele weken terug maakte ik het mee met Melvin Mapple. Op dat ogenblik misschien nog steeds, maar ik wist het niet meer. Ik had voortaan een gevoel van onbehagen dat zich niet liet analyseren. Het dateerde al van voor de foto. Dat ik hem naakt had gezien, had me niet geholpen. Afgezien van de randverschijnselen die met mijn vage beroemdheid gepaard gaan, zit ik in hetzelfde schuitje als iedereen: een relatie aangaan met wie dan ook geeft problemen. Zelfs als alles goed gaat, zijn er wrijvingen, spanningen en misverstanden die goedaardig lijken, maar waarvan het vijf jaar later duidelijk zal worden waarom ze de band onhoudbaar hebben gemaakt. Met Melvin Mapple hadden vijf maanden volstaan. Ik wilde nog geloven dat er nog een uitweg was, want ik voelde wel vriendschap voor hem.

Vijf dagen later kreeg ik een antwoord van de galeriehouder uit de Marollen:

Beste Amélie,

De foto van Melvin Mapple is super. Om de situatie beter uit te kunnen leggen aan de mensen heb ik eigenlijk ook een foto van hem in zijn soldatenuniform nodig. Kun je mij die bezorgen? Bedankt. Tot gauw,

Albert Cullus,

Brussel, 23/05/2009

Het leek me vanzelfsprekend. Ik maakte het verzoek van Cullus meteen per brief over aan de Amerikaan. Ik voegde een PS toe om te preciseren dat ik de foto ook erg mooi had gevonden, met een dooddoener van deze aard: 'Het is interessant om het uiterlijk te ontdekken van degene die met je correspondeert.' Als ik helemaal niets had gezegd over de foto, zou Melvin dat als een afwijzing hebben kunnen interpreteren.

Kort daarna ging ik naar Brussel om te stemmen. Op 7 juni vonden zowel de Europese als de gewestverkiezingen plaats. Voor geen geld ter wereld mis ik een verkiezing. In België spreekt dat voor zich: wie niet gaat stemmen, wordt gestraft met een fikse boete. Zelf heb ik dat dreigement niet nodig: ik zou nog liever creperen dan mijn kiesplicht niet te vervullen.

En het is ook een gelegenheid om eens terug te gaan naar Brussel, wat ooit mijn stad was en waar ik niet vaak genoeg meer kom. Parijzenaars kunnen zich het Brusselse dolce vita niet voorstellen.

Ik bleef wat langer voor de opnames van een Belgisch televisieprogramma dat in de herfst zou worden uitgezonden. Op de ochtend van 10 juni keerde ik met de trein terug naar Parijs. In drie dagen tijd had er zich heel wat post opgestapeld op mijn schrijftafel, zodat ik niet meteen merkte dat er geen antwoord van Melvin Mapple bij was. Op 11 juni gaf ik me er rekenschap van dat ik hem mijn laatste brief had gestuurd op 27 mei en dat zo'n lange stilte ongewoon was voor zijn doen.

Er was geen reden om me veel zorgen te maken. Het ritme van een briefwisseling verandert, dat is de natuurlijke gang van zaken. Zelf was ik niet erg stipt en ik richtte mijn ogen ten hemel als bepaalde correspondenten in paniek waren omdat het te lang duurde voordat ik antwoordde. Ik zou niet in zo'n psychose wegzinken, ik was een koelbloedige persoon.

Een week later was er nog altijd niets. De week erna idem. Ik verstuurde een brief met dezelfde inhoud als die van 27 mei, die misschien verloren was gegaan.

Half juli, toen ik nog steeds geen nieuws had van Melvin Mapple, ging ik mijn wenkbrauwen fronsen. Vond de Amerikaan dat ik te weinig commentaar had geleverd op de foto? Zulk narcisme was niets voor hem. Of had hij het moeilijk om een geschikt portret van zichzelf als soldaat te vinden voor Cullus? Er werd geen meesterwerk van hem verwacht.

Met die gedachten in het achterhoofd schreef ik hem opnieuw om te verduidelijken dat een zeer eenvoudige foto zou volstaan. Ik stelde me zeer vriendschappelijk op, wat oprecht was: ik miste onze briefwisseling.

Er kwam geen antwoord. Ik vertrok met vakantie en vroeg mijn uitgever om mijn post na te sturen. Ik nam alle brieven van de Amerikaan mee: het gaf me een nostalgisch gevoel als ik ze herlas. De namen van zijn kameraden kruiste ik aan: zou ik Plumpy of Bozo kunnen schrijven? Het waren bijnamen, maar misschien volstonden ze. Ik stuurde korte boodschappen naar de twee jongens, met hetzelfde adres, en vroeg hun hoe Melvin Mapple het maakte.

Hij had vast een tegenvaller gehad. De oorlog was zogezegd afgelopen, maar er kwamen nog altijd regelmatig aanslagen tegen in Irak gelegerde soldaten in het nieuws. En Melvin vocht ook op een ander front, dat van de zwaarlijvigheid: hij kon een beroerte hebben gehad, een hartaanval, het soort ongelukken waardoor in vet gesmoorde harten worden getroffen.

Noch Plumpy, noch Bozo, noch Mapple schreven me terug. De stilte beloofde niets goeds. Het was niet de eerste keer dat ik met zo'n situatie werd geconfronteerd. Een briefwisseling is natuurlijk geen contract, je kunt er altijd zonder voorafgaande kennisgeving de brui aan geven. Ik heb er al enkele keren een einde aan gemaakt omdat ik geen mogelijkheid zag om ze voort te zetten. Het is al gebeurd dat sommige mensen zonder uitleg ophielden met me terug te schrijven. In de meeste gevallen raakt dat me helemaal niet omdat ik er de tijd niet voor heb: de brieven van nieuwe onbekenden blijven toestromen.

Maar in sommige gevallen, als ik al lang met iemand schreef, of de correspondent kwetsbaar was door zijn hoge leeftijd of zwakke gezondheid, hield ik vol. Dan telefoneerde ik. Een keer permitteerde ik het me wat opsporingswerk te verrichten: een charmante oude meneer uit Lyon beantwoordde mijn brieven al anderhalf jaar niet meer, en ik was zo vrij om een jonge vriend uit Lyon, wiens broer bij de plaatselijke overheid werkte, te vragen of de man dood was. Mijn vriend verleende me de dienst en ik vernam dat de man nog leefde. Meer kwam ik niet te weten. Alle hypothesen waren mogelijk, van alzheimer tot een mystiek verlangen om niet meer te communiceren.

Het is erg moeilijk om te weten waar je moet stoppen. Ook daar stelt zich het probleem van de grens: de andere passeert in je leven en je moet aanvaarden dat hij er even gemakkelijk uit kan stappen als hij er in is gekomen. Je kunt jezelf natuurlijk voorhouden dat het niet erg is, dat de band niet verder ging dan briefwisseling. Je kunt jezelf ook voorhouden dat zwijgen niet het beëindigen van een vriendschap betekent. Het laatste argument is nog overtuigender dan het voorgaande. Je bedaart, je zet je eroverheen. Je aanvaardt nieuwe vrienden zonder degenen die de stilte hebben opgezocht te vergeten. Niemand vervangt iemand.

En toch kan het gebeuren dat je midden in de nacht wakker wordt, terwijl je hart als gek bonst: en als de andere nu eens in nood verkeert? Is ontvoerd door schoften? Gebukt gaat onder onvoorstelbare zorgen? Hoe heb je hem in naam van een bepaalde opvatting over beschaving zo gemakkelijk in de steek kunnen laten? Vanwaar die verwerpelijke onverschilligheid?

Er is geen oplossing. Je moet je erbij neerleggen: je zult sterven zonder te weten wat je vriend is overkomen en of die vriend had gewild dat je je om zijn lot bekommerde. Je zult sterven zonder te weten of je een onverschillige smeerlap bent, of iemand die andermans vrijheid respecteert. Het enige wat je tot het einde zult willen geloven, is dat hij wel degelijk een vriend was: waarom zou een vriend van inkt en papier minder waard zijn dan een vriend van vlees en bloed?

In de zomer van 2009 had ik dat stadium nog niet bereikt voor Melvin Mapple. Ik weigerde om over te gaan tot het rouwproces, dat ik nochtans zeer goed kende: iets in mij verzette zich tegen dat vooruitzicht. Er leek me geenszins te zijn voldaan aan de voorwaarden om me er maar bij neer te leggen. Je kunt abrupt een einde aan iets maken, maar er zijn grenzen. Dat was niet onredelijk van mij: een zwaarlijvige, in Irak gelegerde soldaat liep werkelijk groot gevaar.

Na de vakantie keerde ik terug naar Parijs. Mijn nieuwe roman kwam uit, wat mijn aandacht zoals elke herfst volledig opeiste. September, oktober, november en december zijn maanden waarin ik zoveel werk dat zelfs mijn uitgever het zich niet kan voorstellen. Toch was er geen moment waarin een duister deel van mijn ziel zich niet opvrat van ongerustheid over Melvin Mapple. Een man van bijna tweehonderd kilo verdwijnt niet zomaar.

Toen ik een wenskaart naar mijn Amerikaanse uitgever stuurde, kon ik het niet laten om na 'vrolijk kerstfeest en gelukkig Nieuwjaar' een uit de toon vallend PS toe te voegen: 'De soldaat van uw leger die in Bagdad is gelegerd en over wie ik het had tegen de krantenjournalisten in Philadelphia, geeft geen teken van leven meer. Kan ik iets doen?' Ik had zo'n vraag niet durven stellen als Michael Reynolds niet de goedigste kerel van de wereld was geweest.

Direct ontving ik *season's greetings* van de uitgever, met als antwoord op mijn PS een mailadres met de naam *'Missing in action'*. Wat een goede man!

Omdat internet terra incognita voor me is, liet ik me bijstaan door een persattachee om mijn informatieverzoek aangaande de soldaat der tweede klasse Melvin Mapple te versturen. We kregen een raadselachtig bericht terug: *'Melvin Mapple unknown in US Army.'*

Daarop kreeg ik het idee om mijn verzoek anders te formuleren en de naam van de soldaat te vermelden zoals op enveloppen wordt gedaan: een reeks onbegrijpelijke initialen, met 'Mapple' in het midden, en daarna een nieuwe reeks initialen. Daar was niets verbazingwekkends aan. Ik correspondeerde met een aantal Franse militairen van wie de adressen bij het leger op een minstens even vreemde manier waren geformuleerd, de voornaam werd nooit vermeld. *La grande muette*, het zwijgzame Franse leger, houdt het graag raadselachtig.

Toen antwoordde de computer dat er niets te melden viel over een zekere Howard Mapple die in Bagdad was gelegerd.

De persattachee vroeg me of ik tevreden was. Ik wilde haar niet nog meer storen en beweerde dat het volstond: 'Hij gebruikt ongetwijfeld zijn tweede voornaam in onze briefwisseling.'

In werkelijkheid had ik geen flauw benul. Ik wist zelfs niet of die Howard Mapple ook maar enige band had met Melvin. Het was best mogelijk dat er meer dan één Amerikaan was die Mapple heette. Op goed geluk schreef ik een brief naar Howard Mapple en gebruikte het Iraakse adres dat ik kende:

Beste Howard Mapple,

Excuseer dat ik u stoor. Ik heb gecorrespondeerd met Melvin Mapple, een militair die net zoals u in Bagdad is gelegerd. Sinds mei 2009 kreeg ik geen nieuws meer van hem. Kent u hem? Zou u me kunnen helpen? Alvast bedankt.

Amélie Nothomb

Parijs, 5/01/2010

Ongeveer tien dagen later ging mijn hart sneller kloppen toen ik een aan mij geadresseerde envelop zag die in elk opzicht, met inbegrip van het handschrift, op die van Melvin Mapple leek. Eindelijk kom ik te weten wat hem is overkomen, dacht ik, gelukkig dat ik de draad met mijn vriend weer kon oppakken. Het minste wat je kunt zeggen, is dat de brief me verraste:

Miss,

Houd op met me aan het hoofd te zeiken met uw lulkoek. Ik ben die klootzak van een Melvin niets meer verschuldigd. U moet maar naar dit adres in Baltimore schrijven: ...

En laat me nu godverdomme met rust.

Howard Mapple

Bagdad, 10/01/2010

Welnu, die Howard drukte zich niet even verzorgd uit als Melvin. Het was des te opvallender omdat behalve de toon alles identiek was: het papier, de envelop en zelfs het handschrift, dat geen jota verschilde van dat van mijn vriend. Het was niet ondenkbaar: het is me vaak opgevallen hoeveel Amerikaanse handschriften op elkaar lijken - ik heb het over handschriften met los van elkaar gespelde letters die worden aangeleerd in bepaalde scholen en niet over vloeiende schriften, die onvermijdelijk persoonlijk zijn.

In elk geval hoefde Howard zich geen zorgen te maken, ik zou hem niet meer storen. En hij had me zeer belangrijke informatie bezorgd: Melvin was teruggekeerd naar Baltimore en ik had zelfs zijn adres.

Daarin moest een embryonale verklaring schuilen voor het stilzwijgen van mijn vriend. Ze hadden hem vast zeer abrupt laten weten dat hij naar huis zou terugkeren, hij had ongetwijfeld amper tijd gehad om zich erop voor te bereiden. Ik stelde me voor hoe traumatiserend het weerzien met de VS moest zijn geweest nadat hij zes jaar had doorgebracht aan het front in Irak, net zoals het weerzien met zijn familie en vrienden, die vast perplex waren over zijn zwaarlijvigheid.

Die arme Melvin zat beslist enorm diep in de put. Het drama van de schipbreukelingen van de samenleving is dat ze in plaats van ontvankelijk te zijn voor anderen, zich terugtrekken in hun eigen lijden en er niet meer uit komen. Nu ja, als Melvin me had geschreven om me dat te vertellen, zou ik hem niet hebben kunnen helpen. Maar hij had er dan tenminste over kunnen praten, voor zover brieven schrijven een vorm van praten is; ontboezemingen redden je van de verstikking.

Of Melvin Mapple had andere vrienden gevonden of teruggevonden in Baltimore, zodat hij mij niet meer nodig had. Ik wenste het van harte. Evenzeer verlangde ik naar een laatste contact met de man, die gedurende enige tijd van belang was geweest voor mij.

Ik zou de juiste toon moeten vinden. Het kwam niet bij me op om hem verwijten te maken: iedereen heeft het recht om te zwijgen. Zelf verdraag ik het niet dat men zich boos maakt over mijn lange stiltes, en ik ken mijn kennissen hetzelfde recht toe. Maar kon ik wel verstoppen dat ik hem had gemist?

Er bestaat maar één manier om schrijfmoeilijkheden op te lossen, namelijk door te schrijven. Een doeltreffende en werkzame reflectie komt pas tot stand wanneer je ze op papier zet.

Beste Melvin Mapple,

Een zekere Howard Mapple liet me weten dat u naar huis bent teruggekeerd en gaf me uw adres. Wat ben ik blij om nieuws over u te horen! Ik moet toegeven dat ik me een beetje zorgen maakte, maar ik begrijp best dat u door uw onverwachte vertrek, gevolgd door de shock van het weerzien, niet de tijd noch de geschikte gemoedsgesteldheid had om me te schrijven.

Kunt u me een kort briefje schrijven zodra het mogelijk is? Ik zou heel graag weten hoe u het maakt. De weinige maanden die onze briefwisseling duurde, zorgden ervoor dat u belangrijk voor me werd. Ik denk vaak aan u. Hoe gaat het met Sheherazade?

Met vriendelijke groet,

Amélie Nothomb - *Parijs, 15/01/2010*

Toen ik hem postte, leek het eerder een boodschap in een fles dan een brief.

Ik heb de gewoonte om de obsceniteiten die ik ontvang in de vuilnisbak te flikkeren. Toch gooide ik de brief van Howard Mapple niet weg: ik was er een beetje door geïntrigeerd, al besefte ik dat hij een onschuldige betekenis kon hebben. Ik weet maar al te best dat mensen in hun brieven soms uitermate bizarre dingen zeggen die gewoon niets betekenen. De meesten zijn bang om innemend en ongeheimzinnig over te komen.

Melvins antwoord liet op zich wachten. De post van het leger werkte ongetwijfeld beter dan de Amerikaanse post. Het drong tot me door dat ik altijd excuses verzon voor de soldaat. Daarbij zag ik over het hoofd dat ik een kunstgalerie voor hem had gevonden en dat ik nooit tekort was geschoten in mijn rol als vertrouwelinge. Mijn inschikkelijkheid voor de tekortkomingen van anderen wordt mijn ondergang.

Die dag merkte ik zelfs niet de gewone envelop op met de *stars and stripes* op de postzegel.

Mijn ogen gingen wijd open toen ik hem openmaakte:

Beste Amélie,

Ik was vastbesloten om u niet meer te schrijven. Uw brief slaat me met stomheid: hoe kunt u me niets kwalijk nemen? Ik verwachtte erger dan verwijten. Hebt u nog niet begrepen dat ik uw vriendschap niet verdien?

Met oprechte groet,

Melvin,

Baltimore, 31/01/2010

Ik antwoordde stante pede:

Beste Melvin,

Wat leuk om nieuws van u te krijgen! Vertel me alstublieft hoe het ginds met u gaat. Ik heb u gemist.

Met vriendelijke groet,

Amélie

Parijs, 6/02/2010

Ik postte de brief en herlas de boodschap van de soldaat. Het was de eerste keer dat hij alleen mijn voornaam gebruikte en uitsluitend met de zijne tekende. Ik was hem daarin gevolgd. Zijn handschrift was veranderd. Het was ook om die reden dat de envelop me niet meteen was opgevallen. Arme Melvin, de terugkeer naar zijn land had vast diepe sporen bij hem achtergelaten: hij haalde zichzelf door het slijk, hij hield zijn ballen niet vast zoals voorheen enzovoort. Ik had er goed aan gedaan om er niet naar te verwijzen in mijn antwoord, dat was de beste reactie. Zo zou hij weten dat het helemaal geen belang had.

Ik stelde me voor wat hij de afgelopen maanden had moeten doormaken, met de idioten die zagen hoe dik hij was geworden en zeiden: 'Nou, ouwe jongen, het was blijkbaar een verrijkende ervaring. Ze hebben je niet van honger laten sterven.' De rotzakken zouden de mislukking van de oorlog in zijn schoenen schuiven, ook al was hij maar de allerlaagste onderknuppel. Mensen kunnen afschuwelijk slecht zijn als ze een arme kerel beoordelen! Ze waren er niet bij, ze hebben niets gezien, maar ze hebben wel een vernietigend oordeel klaar over iets dat ze niet kennen en laten geen gelegenheid voorbijgaan om het aan de persoon in kwestie te laten weten.

Er kwam een tweede envelop uit Baltimore:

Beste Amélie,

Als ik had geweten dat u zo'n persoon bent, had ik u nooit geschreven. Ik heb u verkeerd beoordeeld. Aan de hand van uw boeken veronderstelde ik dat u stijfkoppig en cynisch was, iemand met wie het leven geen lolletje is. Eigenlijk bent u een eenvoudig en aardig mens, u dringt zich niet op de voorgrond. Daarom neem ik het mezelf zeer kwalijk.

Ik heb me zeer slecht gedragen jegens u. Van in het begin heb ik tegen u gelogen. Ik was nooit in Irak en ben nooit soldaat geweest. Ik wilde uw aandacht wekken. Nooit ben ik weg geweest uit Baltimore, waar ik niets anders doe dan eten en op het internet surfen.

Mijn broer, Howard, is militair in Bagdad. Jaren geleden heb ik hem geholpen gokschulden terug te betalen die hij tijdens een verblijf in Las Vegas had gemaakt. Aangezien hij me nog veel geld was verschuldigd, overreedde ik hem ertoe de e-mails die ik hem stuurde over te schrijven en naar u op te sturen. Als hij een antwoord van u ontving, scande hij dat voor me in.

Het was niet de bedoeling dat het bedrog zo uit de hand zou lopen. Ik was van plan u één of twee brieven te sturen, niet meer. Ik had niet verwacht dat u of ik zo enthousiast zou reageren. In zeer korte tijd werd de briefwisseling het allerbelangrijkste in mijn bestaan, al moet ik preciseren dat dat niet veel om het lijf heeft. Ik voelde me niet in staat om u de waarheid te vertellen. De situatie had eindeloos kunnen blijven duren. Dat was mijn wens.

Ik had verwacht dat u me op een dag een foto zou vragen. Bijgevolg had ik Howard de foto gestuurd die de gewichtigheid van mijn toestand niet verdoezelt. Destijds kon ik me niet inbeelden dat ik voor een Belgische kunstgalerie zou poseren. Ik zal u daar nooit genoeg voor kunnen bedanken; uw edelmoedigheid heeft me een nog slechter geweten bezorgd. Toen wilde meneer Cullus een foto van mij in militair uniform: ik zat in de val.

Ik begon een plan voor te bereiden met mijn broer: kon hij me een XXXL-gevechtspak bezorgen? Toen ging Howard door het lint. Hij beweerde dat hij me vijf dollar per bladzijde had aangerekend (ik was niet op de hoogte van die berekening), zodat hij me niets meer verschuldigd was. Hij voegde eraan toe dat hij de stompzinnige onzin die hij voor me had moeten opschrijven spuugzat was, dat hij er ziek van werd om zulke lulkoek over te schrijven en dat u echt helemaal geschift moest zijn om te antwoorden. Kortom, ik kon niet langer op hem rekenen.

Daarom heb ik u niet meer geschreven. Ik had het nochtans kunnen doen, zelfs als ik mijn versie van de feiten had willen volhouden. Ik had mijn brieven kunnen tikken en u vertellen dat ik mijn uniform symbolisch had verbrand toen ik in Baltimore was aangekomen. Door de stilte te bewaren kon ik echter een fatsoenlijk einde maken aan de verwarrende kwestie. Ik zou een herinnering voor u zijn geworden, u zou hebben besloten dat het na mijn terugkeer naar de huiselijke haard nodig was om alles eens grondig op een rijtje te zetten.

Derhalve heb ik het contact met u verbroken. Het werd me gemakkelijker gemaakt doordat mijn broer u mijn brieven niet langer bezorgde; ik veronderstel dat er nog enkele zijn aangekomen. Ik miste onze briefwisseling. Toch was ik ervan overtuigd dat het in ons beider belang was om me in stilzwijgen te hullen.

En toen, drie weken geleden, ontving ik uw bericht. Onbegrijpelijk: u hebt het bestaan van Howard ontdekt en neemt het me helemaal niet kwalijk, u schrijft me even vriendelijk als voorheen. Is het mogelijk dat de waarheid u nog altijd niet in het oog is gesprongen? Om uw laatste illusies te verdrijven, stuur ik u een handgeschreven antwoord, opdat mijn bedrog u duidelijk zou worden door het andere handschrift. Toen kwam de klap op de vuurpijl: u schrijft me onmiddellijk een vrolijke brief, zonder te verwijzen naar een van de overduidelijke ongerijmdheden in deze zaak.

Wees gerust, ik denk niet dat u een idioot bent. Het is mooi dat u zoveel vertrouwen hebt. Maar ik, ik voel me slecht. Ik zie duidelijk in dat ik u in de ogen van gewone stervelingen met succes voor de gek heb gehouden. In de ogen van de meeste mensen bent u de pineut, vergeef me de uitdrukking. Dat was nochtans helemaal niet mijn intentie. Om precies te zijn, ik weet niet wat mijn intentie was.

Wat vaststaat, is dat ik uw aandacht wilde wekken. Ik heb er veel moeite voor gedaan. Ik had op het internet gelezen dat u elke dag stapels brieven krijgt. Omdat ik mijn leven doorbreng op het net, vond ik ze fascinerend, die boodschappen van inkt en papier die u voortdurend ontvangt en schrijft. Het leek me, hoe zal ik het zeggen, zo reëel. Er is zo weinig reëel in mijn leven. Daarom verlangde ik er zo vurig naar dat u me een beetje van uw realiteit gaf. De paradox is dat ik geloofde dat ik mijn realiteit moest verdraaien om door te dringen in de uwe.

Dat verwijt ik mezelf het meest: ik heb u onderschat. Ik moest niet liegen om uw aandacht te wekken. U zou me op dezelfde manier hebben geantwoord als ik u de waarheid had gezegd, namelijk dat ik een mislukte dikzak ben in de bandenopslagplaats van mijn ouders te Baltimore.

Ik vraag u om vergiffenis. Ik zou het begrijpen als u dat weigerde.

Met oprechte groet,
Melvin Mapple
Baltimore, 13/02/2010

Gedurende onbepaalde tijd was ik perplex, niet in staat om wat dan ook te doen. Was ik boos, geërgerd? Nee. Alleen stomverbaasd.

Sinds mijn eerste publicatie in 1992 had ik zoveel gecorrespondeerd met zoveel individuen. Statistisch gezien was het onvermijdelijk dat er een behoorlijk aantal mafkezen tussen zat, en daar was geen gebrek aan geweest. Maar een van het formaat van Melvin Mapple had ik nog nooit meegemaakt, in geen enkel opzicht.

Hoe moest ik reageren? Ik had geen flauw idee. Moest ik trouwens wel reageren?

Bij gebrek aan een antwoord op die vraag voelde ik de aandrang om Melvin te schrijven en open kaart te spelen. Waarvan akte:

Beste Melvin Mapple,

Het is onbeschrijfelijk hoezeer uw brief van 13 februari me met stomheid sloeg. Ik reageer meteen, nu het ijzer nog heet is, wat me misschien niet zal verhinderen om koeltjes te reageren.

U vraagt me om u te vergeven. Ik heb u niets te vergeven. Als ik u iets vergaf, zou dat inhouden dat u me onrecht hebt gedaan. Dat is niet het geval.

Blijkbaar is de leugen in de VS het ultieme kwaad, als ik dat mag zeggen. Ik ben ongetwijfeld zeer Europees: ik neem slechts aanstoot aan een leugen als iemand erdoor wordt benadeeld.

In dit geval zie ik niet in wie er is benadeeld. Sommige Amerikaanse soldaten zouden er vast wel wat op aan te merken hebben en ongetwijfeld zouden ze gelijk hebben. Maar dat gaat me niet aan.

Volgens de mensen, zo beweert u, ben ik de pineut. Ik zie de zaken niet zo. Als mens moet ik kunnen zien wat zich onder mijn ogen bevindt. Wat u me in uw brieven hebt getoond, was enkel een andere manier om de werkelijkheid te verwoorden. Van uw hel hebt u een andere hel gemaakt. Het doet er niet toe dat sommigen moord en brand schreeuwen en beweren dat de gruwel van het Iraakse front niet kan worden vergeleken met de gruwel van het zwaarlijvige lichaam van een, en ik citeer u, 'mislukte dikzak in de bandenopslagplaats van zijn ouders'. De metafoor had betekenis voor u omdat ze zich aan u opdrong, en u voelde de behoefte om iemand wiens toewijding aan brievenpost u had getroffen als getuige te nemen. Uw verhaal met inkt door een derde opgeschreven zien was voor u het enige middel om uw verhaal het realiteitsgehalte te geven waar u zo'n ondraaglijk gemis aan voelt.

U schrijft dat ik u op dezelfde manier zou hebben geantwoord als ik u de waarheid had verteld. Dat weten we helemaal niet. Ja, ik zou u hebben geantwoord. Op dezelfde manier? Ik weet het niet. Uw nogal gezwollen metafoor heeft de verdienste dat ze me op welsprekende wijze de schande van uw bestaan onthult. Als u het onomwonden had opgeschreven, zou ik het dan begrepen hebben? Ik hoop het.

Als het u gerust kan stellen: u bent lang niet de eerste mythomaan die zich tot mij richt. Al bent u geen echte mythomaan, want u bent zich bewust van uw verzinsel, zelfs zozeer dat u de eerste bent die vrijwillig zijn ware gelaat heeft getoond. Onder de mensen die me schrijven, zijn er van wie de leugens me bij de eerste lezing duidelijk worden, mensen wier bedrog ik pas na vier jaar ontdekte en anderen wier handelwijze ik nog steeds niet heb kunnen doorgronden. Voor het overige kom ik terug op wat ik aan het begin van deze brief zei: als niemand erdoor wordt benadeeld, stoort mythomanie me helemaal niet.

Ik sta er ook op om u te feliciteren: uw plan zat zo uitstekend in elkaar dat ik het onmogelijk had kunnen doorgronden als u geen bekentenis had afgelegd. Bravo. In elke schrijver gaat een bedrieger schuil, het is dus in de hoedanigheid van een collega dat ik mijn petje voor u afneem. Als een talentloze mythomaan me een volkomen doorzichtige leugen stuurt, voel ik me bedroefd. Oplichting vereist perfectie, zoals viool spelen: voor een recital neemt een violist er geen genoegen mee dat hij goed speelt. De perfectie of niets. Ik erken u als mijn meester.

Met oprechte groet,
Amélie Nothomb
20/02/2010

Zonder dat ik het merkte, had ik zijn 'oprechte groet' van hem overgenomen op het einde. Ik had in deze brief inderdaad blijk gegeven van een zeldzame oprechtheid. Het enige wat ik had verzwegen, was mijn ergernis over de formule:

'Ik wilde uw aandacht wekken'. Hoe vaak heb ik die zin al niet gelezen? En wat een pleonasme! Als je iemand een brief stuurt, wil je zijn aandacht trekken. Anders schrijf je hem niet.

Maar ik kon het hem vergeven, want de formule werd niet gevolgd door de zin die er negen op de tien keer na komt: 'Ik zou niet kunnen verdragen dat u me als iedereen behandelde.' Er bestaan veel varianten op die onzin: 'Ik ben niet zoals iedereen', 'Ik zou niet willen dat u tegen me praat als tegen wie dan ook' enzovoort. Als ik dat lees, gooi ik de brief meteen in de vuilnisbak. Om gevolg te geven aan het bevel. Wilt u dat ik u niet zoals iedereen behandel? Uw wens is mijn bevel. Ik heb uitzonderlijk veel respect voor iedereen. U vraagt een bijzondere behandeling, ik respecteer u dus niet en gooi uw brief in de prullenmand.

Wat ik afgezien van de dwaasheid onuitstaanbaar vind aan die woorden, is het misprijzen waar ze van overvloeien. Het misprijzen is des te erger omdat het ook aan mij wordt toegeschreven. Het is als een allergie voor mij: ik verdraag geen enkele vorm van misprijzen, of het nu tot mij gericht is, aan mij wordt toegeschreven, of zelfs als ik er slechts getuige van ben. Iedereen minachten is nog weerzinwekkender. Het is ontoelaatbaar om de onbekende niet het voordeel van de twijfel geven.

Ik at kruidenkoek met honing. Ik ben dol op de smaak van honing. Het Franse woord *sincère*, 'oprecht', dat tegenwoordig zo in de mode is, is ervan afgeleid: met *sine cera*, letterlijk 'zonder was', werd gezuiverde honing van uitstekende kwaliteit bedoeld. Sjacheraars smeerden je namelijk een vreselijk mengsel van honing en was aan. De vele mensen die tegenwoordig het woord *sincérité*, 'oprechtheid', te vaak in de mond nemen, zouden een kuur met goede honing moeten ondergaan om hen eraan te herinneren waarover ze praten.

Beste Amélie,

Uw brief heeft me nog meer versteld doen staan dan dat de mijne u moet hebben verrast. Ik weet niet wat ik verwachtte, maar zeker niet dat.

Ik vind uw reactie erg mooi. De enige andere persoon die op de hoogte is van mijn leugen, is mijn broer Howard. Het minste wat je kunt zeggen, is dat hij niet even tolerant is als u. Toen ik hem de mails stuurde die hij voor u moest overschrijven, reageerde hij met: 'Je bent een zielige gek', of met andere zeer hoogstaande uitlatingen.

Probeer het maar te begrijpen: u verwijt me helemaal niets, zodat ik me schuldig voel. Ik voel de behoefte om me te rechtvaardigen, terwijl u daar helemaal niet om vraagt.

Wat ik u heb verteld over mijn leven tot mijn dertigste, was de waarheid: de zwerftochten, de nachten onder de blote hemel, de armoede en uiteindelijk de honger. Ik ben echter niet bij het leger gegaan toen ik het dieptepunt had bereikt, maar naar papa en mama. Het is verdomd vernederend om op je dertigste weer bij je ouders te gaan wonen zonder ook maar iets te hebben verwezenlijkt. Mijn moeder dacht dat ze me kon redden door een computer voor me te kopen. 'Je zou een website voor ons benzinestation kunnen maken', zei ze. Alsof een benzinestation dat nodig heeft! Het rook overduidelijk naar een voorwendsel. Maar ik had geen keuze en ben eraan begonnen. Ik ontdekte dat ik niet slecht was in dat vak. Een paar bedrijven uit de buurt bestelden hetzelfde bij me. Ik verdiende geld, zodat ik Howards schulden kon afbetalen.

Eigenlijk werd het mijn ondergang. Ik had tien jaar lang rondgelopen en nauwelijks gegeten, en verwisselde nu de twee werkwoorden: ik nam de levensstijl aan van een computerprogrammeur, die erin bestaat dat je nooit je benen gebruikt en voortdurend zit te knabbelen. Ik had zozeer de indruk dat mijn moeder me de computer had geschonken om ervoor te zorgen dat ik weer op het rechte pad kwam, dat ik een jaar lang niet van mijn scherm week. Ik stopte enkel om te slapen, me te wassen of een maaltijd te nuttigen met de rest van het gezin - alweer eten. Mijn ouders waren niet verder gekomen dan de versie van de uitgehongerde zoon die was teruggekeerd naar de huiselijke haard: ze zagen me niet dikker worden, en ik ook niet. Ik had mezelf moeten bekijken onder de douche, maar ik heb er niet op gelet. Toen ik de catastrofe - dat is het juiste woord - opmerkte, was het te laat.

Als er een kwaad is dat je beter kunt voorkomen dan genezen, is het wel zwaarlijvigheid. Vaststellen dat je vijf of zelfs tien kilo moet kwijtraken, stelt niets voor. Maar het is wat anders als je op een goede dag beseft dat je dertig kilo moet afvallen. En toch, als ik er op dat moment aan was begonnen, had ik mezelf nog kunnen redden. Nu moet ik honderddertig kilo kwijtraken. Wie heeft genoeg moed om te beslissen dat hij honderddertig kilo wil vermageren?

Waarom heb ik niet aan de alarmbel getrokken toen ik wist dat ik dertig kilo te zwaar was? Ik kampte die dag met lastige computerproblemen en had al mijn energie en concentratie nodig: het was onmogelijk om een dieet te overwegen. De volgende dag net hetzelfde, enzovoort. De spiegel bevestigde het verdict van de weegschaal: ik was dik. Maar ik besloot dat dat niet van belang was: wie keek naar mij? Ik was een programmeur, ik woonde in de bandenopslagplaats van mijn ouders met een computer die maling had aan mijn gewicht. Ik schoot een joggingpak en een XXL T-shirt aan en er was niets meer van te merken. Aan tafel gaf noch mijn vader, noch mijn moeder zich er rekenschap van.

Toen ik Amerika te voet doorkruiste, probeerde ik zoals elke zichzelf respecterende opvolger van Kerouac alle drugs uit die verkrijgbaar waren langs de wegen en in de woestijn, en dat zijn er veel. Je kameraden hebben altijd wel wat op zak: *'Share the experience'*, zeggen ze tegen je terwijl ze het je aangeven. Ik heb nooit geweigerd. Sommige producten vond ik lekker, aan andere had ik een hekel. Maar zelfs de stuff waaraan ik het meest verslingerd geraakte, veroorzaakte nog geen honderdste van de verslaving die eten bij me teweegbracht. Als ik drugspreventiecampagnes op televisie zie, vraag ik me af waar ze nog op wachten om ons te waarschuwen voor onze echte vijand.

Daarom slaag ik er niet in te vermageren: mijn eetverslaving is onoverwinbaar geworden. Je zou een dwangbuis (XXXL) nodig hebben om me te doen ophouden met eten.

Toen ik honderddertig kilo zwaar was, zei mijn moeder verbaasd: 'Je bent dik!' Ik antwoordde dat ik zwaarlijvig was. 'Waarom heb ik daar nooit eerder iets van gemerkt?' riep ze. Het kwam omdat ik een baard had laten groeien die mijn driedubbele onderkin verborg. Ik heb me geschoren en ontdekte het gezicht van de onbekende die ik ben gebleven.

Mijn ouders bevalen me om te vermageren. Ik weigerde. 'Als het zo zit, nodigen we je niet meer uit aan tafel. We willen geen getuigen van je zelfmoord zijn', zeiden ze me. Zo ben ik een eenzelvige dikzak geworden. Het stoorde me niet dat ik mijn vader en moeder niet meer zag.

Eigenlijk is dat het vreselijke: niets stoort, alles wordt aanvaard. Je denkt dat je niet zwaarlijvig zult worden omdat het onverdraaglijk zou zijn: het is onverdraaglijk, maar je verdraagt het.

Het is zover gekomen dat ik niemand meer zie, behalve de bezorger die het eten komt brengen dat ik per telefoon of op het internet bestel en die nergens aanstoot aan neemt: hij heeft er vast nog meer gezien in Baltimore. Ik gooi mijn vuile was in een vuilniszak; als hij vol is, zet ik hem voor de garage. Mijn moeder doet de was en laat de zak achter op dezelfde plek. Zo hoeft ze me niet te zien.

In de herfst van 2008 las ik een artikel over de zwaarlijvigheid waaraan Amerikaanse soldaten in Irak steeds meer leden. Eerst bedacht ik me dat mijn broer Howard dikker had moeten worden in plaats van ik. Daarna werd ik tot mijn verbazing jaloers op zwaarlijvige soldaten. Dat moet u begrijpen: zij hadden tenminste een ernstige reden. Door hun status werden ze slachtoffers. Heel wat mensen zouden vinden dat het hun schuld niet was. Ik benijdde hun beklagenswaardige toestand. Het is zielig, ik weet het.

Dat is nog niet alles. Hun aandoening had een voorgeschiedenis. Ook daarvoor benijdde ik hen. U zult me zeggen dat de mijne ook een voorgeschiedenis heeft: dat is mogelijk, maar ze is me ontgaan. Feitelijk had mijn zwaarlijvigheid een oorzaak en toch was het alsof de wetten van de causaliteit plots waren veranderd in mijn geest. Als je al je tijd op het internet doorbrengt, ontstaat er een gevoel van onwerkelijkheid, zodat het voedsel dat ik al die maanden had verslonden nooit had bestaan. Ik was een dikzak zonder geschiedenis, en in die hoedanigheid was ik jaloers op de mensen die deel uitmaakten van de grote Geschiedenis.

Toen de oorlog in Irak uitbrak, werd ik opgeroepen en afgekeurd wegens zwaarlijvigheid – toen al! Op dat moment prees ik me gelukkig dat ik dik was en lachte ik die idioot van een broer uit die erheen werd gestuurd. Daarna ging mijn niet-bestaan voor de computer door: acht jaar niets, waarvan niets overblijft in mijn herinnering en die ik toch niet zomaar kan vergeten, want ze hebben me van meer dan honderd kilo ballast voorzien. Later las ik het artikel over zwaarlijvige soldaten. En toen kwam u.

Het was de combinatie van het artikel en van de ontdekking van uw bestaan die me ertoe bracht om te liegen. Ik was al geïntrigeerd omdat een romanschrijfster me met echte brievenpost antwoordde. Ik had de Engelse vertalingen van uw boeken besteld en zonder dat ik er een verklaring voor kan geven, hadden ze me aangesproken. U zult het me kwalijk nemen: een van uw personages gaf me het idee om te liegen, namelijk de jonge Christa in *Antichrista*.

Plots leek het of de nieuwe interpretatie van mijn zwaarlijvigheid de redding bracht. Opdat mijn versie werkelijkheidswaarde zou krijgen, moest ze de steun krijgen van een buitenstaander. Die rol was u op het lijf geschreven: u was bekend en reageerde. Ik weet niet of de briefwisseling met u me goed heeft gedaan, maar ik weet wel dat ik het heerlijk vond: u stond in voor mijn geschiedenis. Ik was werkelijk gaan geloven dat ik een soldaat in Irak was. Dankzij u kreeg ik wat ik nog nooit had gehad: waardigheid. In uw geest kreeg mijn leven vaste vorm. Door uw blik voelde ik dat ik bestond. Mijn lot verdiende uw aandacht. Wat een ontroering, wat een genot na acht jaar niet-bestaan! Ook al ontving ik uw brieven slechts in gescande vorm, toch leken ze me zo buitengewoon reëel.

Ik had gewild dat die situatie eeuwig bleef duren, maar u vroeg een foto van mij als soldaat. Daarna, in de zomer van 2009, berichtten alle kranten van de hele wereld over het vertrek van onze mannen. Howard, die zoals gewoonlijk pech had, zat bij het laatste contingent; hij is pas een tiental dagen geleden naar de Verenigde Staten teruggekeerd. Om kort te gaan: toen ik besefte dat mijn leugen onhoudbaar werd, zag ik geen andere oplossing dan de stilte.

Ik heb gedaan gekregen dat Howard me al uw brieven bezorgde. Het was erg ontroerend om ze in het echt te zien, om ze aan te raken. Ik heb de e-mails die ik had bewaard afgedrukt en met uw berichten op volgorde in een ordner gestopt. Weet u hoe ik die ordner heb genoemd? 'Een vorm van leven'. Ik ben er instinctief op gekomen. Terugdenkend aan dat tiental maanden waarin ik met u correspondeerde, terwijl ik al bijna tien jaar niet meer leefde, diende die uitdrukking zich aan: dankzij u kreeg ik toegang tot een vorm van leven.

Die woorden roepen in principe elementaire wezens als amoeben en protozoa voor de geest. Voor de meeste mensen zijn dat niet meer dan nogal walgelijke, krioelende beestjes. Voor mij, die het niet-bestaan heeft gekend, is het al leven, en dat boezemt me respect in. Ik hield van die vorm van leven en verlang ernaar terug. De briefwisseling werkte als voortplanting door deling: ik stuurde u een uiterst klein deeltje van mijn leven, het verdubbelde doordat u het las, het werd verveelvoudigd door uw antwoord enzovoort. Dankzij u deed een kweekbodempje zijn intrede in mijn niet-bestaan. Ik lag in een marinade van gedeelde woorden. Er is een genot dat door niets wordt geëvenaard: de illusie dat je iets betekent. Dat die betekenis het resultaat is van een leugen, doet niets af aan het genoegen.

Onze briefwisseling is weer op gang gekomen na een onderbreking die even lang duurde als haar bestaan. Wordt het nog even goed? Ik vertel u de waarheid, zal die een vorm van leven doen ontstaan? Niets is minder zeker. Hoe zou u me voortaan nog kunnen vertrouwen? Zelfs als uw zielengrootheid u daartoe in staat stelt, is er iets gebroken in mij: ik ben nooit vergeten dat ik loog, en toch koesterde ik de vaste overtuiging die ontstond door de leugen op te schrijven. U bent schrijver, ik leer u niets nieuws. De beginneling die ik ben kan er nog steeds niet over uit: het meest intense wat ik heb beleefd, heb ik te danken aan het delen van een verzinsel van mijn hand.

Nu is mijn verzinsel vernietigd. U kent de verschrikkelijke waarheid. De best bewaakte gevangenen ter wereld kunnen ontsnappen. Een ontsnapping is helemaal onmogelijk als je eigen corpulente lichaam je gevangenis is. Vermageren? Laat me niet lachen. Ik weeg bijna tweehonderd kilo. Waarom niet de Egyptische piramiden afbreken, als we dan toch bezig zijn?

Ik stel u dan ook deze vraag: wat blijft er nog over om voor te leven?

Met oprechte groet,
Melvin Mapple
Baltimore, 27/02/2010

Het besluit van de brief maakte me zeer ongerust. Melvins waanzin was vast besmettelijk, want ik kocht meteen een vliegbiljet naar Washington. Bij de internationale inlichtingen vonden ze zonder al te veel moeite Mapples gegevens. Rekening houdend met het uurverschil toetste ik het nummer in. Iemand met een hijgende stem nam op:

'Amélie Nothomb, bent u het echt?'

'U bent naar de telefoon gelopen.'

'Nee. Hij staat naast me. Ik kan er niet over uit dat u me belt.'

Melvin sprak alsof hij voortdurend buiten adem was. Dat lag vast aan zijn zwaarlijvigheid.

'Ik kom op 11 maart om 14.30 uur aan in de luchthaven van Washington. Ik wil u zien.'

'Komt u voor mij? Ik ben geroerd. Ik zal u opwachten in de luchthaven. We kunnen samen de trein naar Baltimore nemen.'

Ik hing op uit angst dat ik van mijn voornemen zou afzien. Aangezien ik een buitengewone aanleg heb voor lichtzinnige beslissingen, dwong ik mezelf om niet meer aan de reis te denken, zodat ik ze niet zou afgelasten.

Aan de telefoon had Melvins stem me vrolijk geleken.

Toen ik op het punt stond om te vertrekken kreeg ik een brief van de Amerikaan. Ik nam hem mee om hem in het vliegtuig te lezen.

Ik wachtte tot de Boeing 747 opsteeg, zodat ik niet meer zou kunnen vluchten, en opende de envelop:

Beste Amélie

U komt me bezoeken. Dat is een buitengewoon geschenk. Ik denk niet dat u dat voor al uw correspondenten doet, zeker als ze zo ver weg wonen. Wat zeg ik nu? Ik weet dat ik de enige ben voor wie u zo ver wilt reizen. Ik ben diep geroerd.

Tegelijkertijd vraag ik me af wat ik heb geschreven om u die beslissing te doen nemen. Zonder het te beseffen heb ik u misschien zodanig gemanipuleerd dat u medelijden kreeg en daar ben ik niet trots op. Nu ja, gedane zaken nemen geen keer. Ik ben tevreden.

Zoals ik aan de telefoon zei, kom ik u ophalen in Ronald Reagan Airport. Weet u, voor mij wordt dat niet alledaags. Ik heb Baltimore al bijna tien jaar niet meer verlaten. Als ik Baltimore zeg, zou ik eigenlijk preciezer moeten zijn: ik heb mijn straat niet verlaten. En zelfs dat is niet exact genoeg. Mijn laatste expeditie buiten de bandenopslagplaats dateert van de verkiezing van president Obama, op 4 november 2008, toen ik ben gaan stemmen. Gelukkig was het aan het einde van de straat. Toch was ik afgepeigerd, ik ben bezweet teruggekeerd, alsof het bloedheet was. Het ergste is niet de inspanning van het wandelen, het zijn de blikken van andere mensen die me doen zweten. Ja, de zwaarlijvigheidsepidemie in Amerika weerhoudt de anderen er nog niet van om ons na te kijken. Wanneer krijgen we eens een president van honderdvijftig kilo?

Kortom, het wordt een hele expeditie om u op te wachten in Washington. Denk vooral niet dat ik klaag, dat zou het toppunt zijn, want u moet een oceaan oversteken om me te zien. Ik wil zeggen dat ik besef hoe belangrijk de gebeurtenis is. Niets ter wereld zal me kunnen beletten om er te zijn, op 11 maart om 14.30 uur, in de luchthaven. U hebt mijn foto gezien, u zult me herkennen.

U hebt niet verduidelijkt hoe lang u zult blijven. Ik hoop dat het lang zal zijn. Ik heb mijn moeder gevraagd om mijn oude slaapkamer klaar te maken voor als u bij me wilt logeren.

Ik verwacht u.

Met oprechte groet,

Melvin Mapple

5/03/2010

Ik had de indruk dat het een zeer goede brief was. Ik stelde zijn 'zonder het te beseffen heb ik u misschien zondanig gemanipuleerd dat u medelijden kreeg...' op prijs, het was eens wat anders dan het voortdurende 'ik hoop dat u niet denkt dat ik u medelijden wil doen krijgen' waarmee correspondenten een einde maakten aan ellenlange brieven waarin ze me vertelden hoe hun ouders hen sloegen en folterden toen ze klein waren.

Zoals gewoonlijk had ik ervoor gezorgd dat ik een plaatsje aan het raam had. In een vliegtuig hang ik altijd met mijn neus voor het raampje: het minste wolkje interesseert me. Maar deze keer slaagde ik er niet in om me geheel te wijden aan de observatie van het uitzicht boven in de lucht. Mijn brein had last van een steentje in zijn schoen.

Halverwege de Atlantische Oceaan vond de kiezel de juiste woorden: 'Amélie Nothomb, kun je me zeggen wat je aan het doen bent?' Ik antwoordde hypocriet: 'Kijk, ik ben een volwassene met zin voor verantwoordelijkheid die heeft beslist een Amerikaanse vriend te gaan bezoeken.' 'Maar nee! De waarheid is dat je niet bent veranderd sinds je acht was: je denkt dat je mysterieuze krachten hebt, je beeldt je in dat Melvin van zijn zwaarlijvigheid genezen zal zijn nadat je hem hebt aangeraakt!' Ik stopte mijn oren toe. 'Je hebt gelijk, het is nooit verwoord geweest, jouw woorden zijn altijd rationeel, maar wat eronder ligt niet, je denkt dat je Mapple gaat redden, ook al weet je niet hoe je dat zult doen. Leg me anders eens uit waarom je helemaal naar de Verenigde Staten gaat om een eenvoudige correspondent te ontmoeten!' 'Omdat ik vriendschap voel voor die man, die tenminste niet zijn toevlucht neemt tot pretermissies.' 'Je steekt de Atlantische Oceaan over voor een gebrek aan pretermissie? Het is om je dood te lachen!' 'Nee. Een gebrek aan pretermissie is zeer zeldzaam. Ik ben iemand die in staat is om zeer ver te gaan in naam van mijn semantische overtuigingen. Taal is voor mij de hoogste werkelijkheidsgraad.' 'De hoogste werkelijkheidsgraad is een zwaarlijvige mythomaan aantreffen in een bandenopslagplaats in Baltimore. Droomgezelschap en een droombestemming. En alles voor een gebrek aan pretermissie. Als je ooit toevallig te maken krijgt met een correspondent uit Buiten-Mongolië die als enige in zijn soort geen fouten maakt tegen de vervoeging van werkwoorden in de aanvoegende wijs, of die een interessante opvatting heeft over onovergankelijkheid, zul je hem dan gaan bezoeken in Ulaanbaatar?' 'Waar wil je naartoe met je komische betoog?' 'En jij, waar wil je naartoe met je reis? Waarom beeld je je in dat je miraculeuze aanwezigheid die arme dwaas zal helpen? Als hij zich al wil redden, wat helemaal niet zeker is, kun jij hem niet uit de penarie halen. Als je er genoegen mee nam om je tijd te verliezen, zou het niet erg zijn. Maar heb je al eens nagedacht over de onbehaaglijke situatie die je met hem zult beleven? Jullie hadden onderwerpen om elkaar te schrijven, goed, maar wat zullen jullie elkaar te zeggen hebben? Je zult uren in stilte doormaken met die dikzak, in de luchthaven, daarna tijdens een lange treinrit, dan in een taxi, en ten slotte bij hem thuis. Het wordt een beproeving. Bij gebrek aan conversatie zul je je niet kunnen bedwingen om zijn vet aan te staren, hij zal dat voelen, jullie zullen allebei een rottijd beleven. Waarom doe je dat hem en jezelf aan?' 'Misschien zal het niet zo lopen.' 'Inderdaad, het kan nog erger. Je zult een programmeur ontmoeten die de laatste tien jaar met niemand een woord heeft gewisseld, behalve met de pizzabezorger. Wanneer je in Baltimore bent, zal hij zich zo slecht voelen dat hij achter zijn computer zal gaan zitten om niet meer met je te maken te hebben. Die kerel is ziek en jij bent nog zieker, want je gaat hem bezoeken. Je hebt je ongelooflijk in de nesten gewerkt. Je zoekt het maar uit, arme dwaas.'

De meedogenloze stem verstomde en liet me achter met de onverbiddelijke vaststelling dat ik een vergissing beging. Ja, de reis was een rampzalig idee, ik was me er nu volledig van bewust. Wat zou ik doen? Ik kon niet meer terug. Hoe kon ik verhinderden dat het vliegtuig zijn bestemming zou bereiken? Hoe kon ik de luchthaven verlaten langs een andere uitgang dan waar Melvin Mapple me opwachtte? Onmogelijk!

De stewardess deelde de lichtgroene formulieren uit die alle mensen die de Amerikaanse bodem willen betreden ontvangen, ook al is het maar voor drie uur. Wie ze voor de eerste keer ziet, verwondert zich altijd over de vragenlijst: 'Bent u lid geweest of bent u lid van een terroristische groepering?'; 'Bent u in het bezit van chemische of nucleaire wapens?' en andere verbazingwekkende vragen, waar vakjes met 'ja' of 'nee' naast staan om aan te kruisen. Iedereen die ermee wordt geconfronteerd, barst uit in lachen en zegt tegen zijn medereizigers: 'Wat zou er gebeuren als ik ja antwoordde?' Er is dan altijd wel iemand om die persoon dat idee vastberaden uit het hoofd te praten: 'Je moet geen grapjes maken met de veiligheidsdiensten van de Verenigde Staten.' Zo weerstaan uiteindelijk zelfs de meest verhitte geesten aan de verleiding.

Ik kende de groene formulieren uit mijn hoofd en bereidde me voor om ze zoals gewoonlijk in te vullen toen ik het volgende idee kreeg: 'Amélie, de enige manier om te vermijden dat je Melvin Mapple zult ontmoeten, is door het aankruisen van de foute hokjes. Je zult overgeleverd worden aan de Amerikaanse justitie. Wat verkies je? De trein van Washington naar Baltimore met een zwaarlijvige mythomaan, of huizenhoge problemen met de Amerikaanse politie?'

Ik had mezelf nog nooit in mijn leven zo'n ultimatum gesteld. Ik keek door het raampje naar de onwerkelijke hemel die mijn besluit al kende. Mijn beslissing was genomen, de denkfase was al achter de rug. In extase beging ik mijn krankzinnige daad. Naast de vraag 'Bent u lid van een terroristische groepering?' kruiste ik 'ja' aan. Hevige ontsteltenis. Naast de vraag 'Bent u in het bezit van chemische of nucleaire wapens?' kruiste ik 'ja' aan. Diepe verbijstering. Enzovoort. In trance, met mijn geest wijd opengesperd, kruiste ik overal 'ja' aan, de ene nog catastrofaler dan de andere. Ik tekende een zelfbeschuldiging waardoor ik publieke vijand nummer één van de hele planeet werd en stopte die in mijn paspoort.

Toen was het nog niet onomkeerbaar. Ik kon de stewardess nog roepen en een ander groen formulier vragen, zoals mensen die hebben geschrapt doen. Het had volstaan om de geschifte verklaring te verscheuren zodat ze geen gevolgen zou hebben.

Maar ik wist dat ik dat niet zou doen. Ik wist dat ik de krankzinnige papieren aan de douane zou overhandigen. Ik wist niet precies wat er daarna zou gebeuren, behalve dat ik gigantische problemen zou krijgen. De overheid zou me naar Guantánamo sturen. Het lijkt erop dat ze die hel hebben ontmanteld, maar Amerikanen zijn efficiënt: het lijdt geen twijfel dat ze ergens anders iets gelijksoortigs hebben gebouwd. Ik zou tot het einde van mijn dagen in de gevangenis zitten.

En dat allemaal om een ontmoeting met Melvin Mapple te vermijden? Wat een kletspraat! Amélie, je ondergaat je lot, wat je altijd hebt gewild. Een straf voor je vele tekortkomingen? Dat ook. Maar het zou niet volstaan.

Waar ben je naar op zoek sinds je bent begonnen met schrijven? Wat ambieer je nu al zo lang met zoveel geestdrift? Wat betekent schrijven voor jou?

Je weet het: je schrijft elke dag van je leven als een bezetene omdat je een nooduitgang nodig hebt. Schrijver zijn is voor jou een wanhopige zoektocht naar de uitgang. Door een wending die je aan je onderbewuste te danken hebt, kon je die vinden. Blijf in het vliegtuig zitten, wacht tot de landing. Je zult je papieren overhandigen aan de douane. Daarna is je onmogelijke leven afgelopen. Je zult bevrijd zijn van je belangrijkste probleem: jezelf.

Barcelona, 2/03/2009 – Parijs, 13/04/2009

Van **Amélie Nothomb** verscheen eerder:

- **Hygiëne van de moordenaar** *(Hygiène de l'assassin)*, 1992
- **Vuurwerk en ventilators** *(Le sabotage amoureux)*, 1993
- **Menslievende verhalen zijn altijd oneerlijk** *(Légende un peu chinoise)*, 1993
- **Filippica's** *(Les Catilinaires)*, 1995
- **Peplos** *(Péplum)*, 1996
- **Aanslag op de goede smaak** *(Attentat)*, 1997
- **De spiegel van Mercurius** *(Mercure)*, 1998
- **Met angst en beven** *(Stupeur et tremblements)*, 1999, Grand Prix du roman de l'Académie française
- **Gods ingewanden** *(Métaphysique des tubes)*, 2000
- **Cosmetica van de vijand** *(Cosmétique de l'ennemi)*, 2001
- **Plectrude** *(Robert des noms propres)*, 2002
- **Antichrista** *(Antéchrista)*, 2003
- **De hongerheldin** *(Biographie de la faim)*, 2004
- **Zwavelzuur** *(Acide sulfurique)*, 2005
- **Dagboek van Zwaluw** *(Journal d'Hirondelle)*, 2006
- **De verloofde van Sado** *(Ni d'Eve ni d'Adam)*, 2007
- **Champagne!** *(Le Fait du Prince)*, 2008
- **De winterreis** (*Le Voyage d'hiver*), 2009

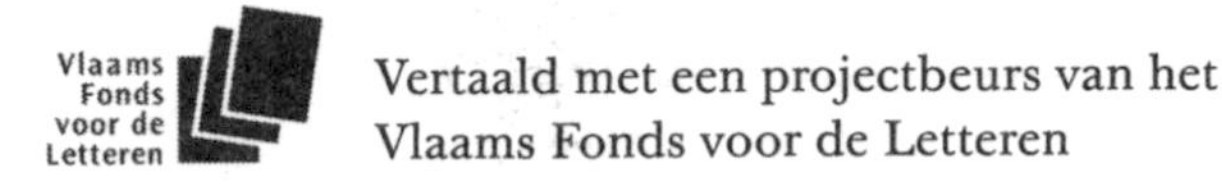

Vertaald met een projectbeurs van het
Vlaams Fonds voor de Letteren

Oorspronkelijke titel: *Une forme de vie*

WPG Uitgevers België nv, Mechelsesteenweg 203,
B-2018 Antwerpen en Daan Pieters

Vertegenwoordiging in Nederland
Standaard Uitgeverij Nederland
Herengracht 370/372
NL-1016 CH Amsterdam

Vertaling: Daan Pieters
Boekverzorging: Herman Houbrechts
Zetwerk: Karakters, Gent

ISBN 978 90 8542 251 8
NUR 302
D/2010/0034/377